KU-600-972

Beata Pawlikowska

Największe skarby

naszej cywilizacji

Spis treści

ROZDZIAŁ 1

Zielony groszek

Właściwie nie zwracałam na niego uwagi. Nie wydawał mi się szczególnie nadzwyczajny ani potrzebny. Jak był, to był, a kiedy go nie było, wcale za nim nie tęskniłam. Poza tym znałam go raczej tylko z widzenia i to z najgorszej strony, bo z puszki. Tymczasem prawdziwy, świeży, pachnący i majowy zielony groszek to jest po prostu mistrzostwo świata!!!

Zacznę od tego, że pewnego razu wybrałam się do Indii. Przez miesiąc podróżowałam przez duże miasta, małe wioski, dżungle i pustkowia. Byłam sama, nikt mnie nie woził i nie prowadził do wcześniej umówionych pokoi czy restauracji. Spałam w przygodnych hotelach i jadłam tylko to, co miejscowi przygotowywali dla siebie.

Jeżeli byłeś kiedyś w restauracji indyjskiej albo oglądałeś program o Indiach, to pewnie wiesz, że to jest królestwo curry. To słowo ma trzy znaczenia. Jest roślina o zielonych listkach, która nazywa się curry. Jest mieszanka różnych przypraw, która nazywa się curry albo *garam masala*. I jest też gulasz, czyli rodzaj gęstego sosu z różnymi dodatkami, który nazywa się curry. Może być curry z warzyw albo z kurczaka, z ryby, z okry, z bakłażanów, z czego zechcesz.

No i jeżeli widziałeś cudownie kolorowe fotografie indyjskiej kuchni, to pewnie czujesz już w wyobraźni jak fantastycznie pachnie i domyślasz się z jaką przyjemnością zjada się codziennie takie bogate, piękne, egzotyczne potrawy.

To prawda.
Ale tylko w restauracji.

To może być w Warszawie, Nowym Jorku albo Bombaju, ale tylko w restauracji. Bo kiedy wyjedziesz poza bogatsze dzielnice albo w ogóle poza miasto, to restauracji nie będzie. Pozostaną tylko uliczni sprzedawcy jedzenia.

W Polsce właściwie też tak jest. Spróbuj znaleźć restaurację w wiosce, do której nie przyjeżdżają turyści. Nie ma. Być może jest budka z przekąskami i jest sklep, ale restauracja, gdzie siada się przy stolikach i płaci za jedzenie przyniesione przez kelnera? Raczej nie. Każdy sam sobie gotuje w domu.

A w Indiach gotuje kucharz na ulicy. Są oczywiście wykwintne restauracje w miastach, ale mam teraz na myśli miejsca, do których nie docierają grupy turystów, tylko takie, gdzie życie toczy się swoim rytmem, nieśpiesznie, zwyczajnie. Takie miejsca lubię najbardziej, bo wydaje mi się, że tylko tam można znaleźć prawdę. Nie sztuczny świat stworzony dla turystów, ale to, czym ludzie żyją na co dzień, co tworzy ich kulturę, sposób myślenia, przekonania, obyczaje i sens.

Idzie kucharz!

Oczy zaczynają mi się
świecić jak latarnie
podczas zamglonej nocy.

Podróżowałam przez miesiąc po takich właśnie zwykłych, codziennych miejscach, chłonęłam ich naturę, obserwowałam, wtapiałam się w tamtejszą rzeczywistość. I żywiłam się głównie ziemniakami w żółtym sosie.

Wybór był niewielki. Małe, puchnące w oleju placki *puri* ociekające tłuszczem. Gotowana ciecierzyca sprzedawana wcześnie rano z parujących garnków. I curry z ziemniaków. Ale to „curry" muszę napisać w nawiasie, bo nie wyobrażaj sobie warzywnego dania z dodatkami.

To codzienne indyjskie uliczne curry z ziemniaków to gotowane ziemniaki w odrobinie żółtego sosu. Nic więcej.

Wychodzisz rano na śniadanie. Kucharz z gorącą ciecierzycą gdzieś znikł, pewnie przeniósł się na inną ulicę, ale nie mam pojęcia jaką. Nigdzie nie ma restauracji ani baru, gdzie mogłabym usiąść i zamówić porządne śniadanie. Pozostaje mi – jak co dzień – wyjść na ulicę i upolować coś do zjedzenia.

Mijam sprzedawcę ciepłych, gotowanych placków ryżowych *idli*. Są białe, mdłe i bardzo szybko stygną w porannym chłodzie.

– *Chai, chai?* – zachęca mnie kucharz z imbrykami.

O tak, chętnie napiłabym się herbaty, ale w Indiach można dostać tylko herbatę z wielką ilością cukru i mleka. To znaczy w lepszej restauracji na życzenie kelner na pewno przyniesie jaką zechcesz, ale na ulicy nie ma wyboru. Jest tylko czarna herbata wymieszana z mlekiem i z cukrem. A ja takiej nie lubię.

Idę dalej. Jeszcze jeden sprzedawca herbaty, wtulony w kamienną półkę, na której stoi małe palenisko z rozżarzonymi węglami, imbryki i gliniane czarki.

– *Puri, puri?* – woła na mój widok następny kucharz.

Ma policzki rozgrzane od oparów gotującego się oleju. W metalowej głębokiej patelni podobnej do woka smaży małe, okrągłe placki, wyjmuje je łyżką cedzakową i odkłada na bok. Szybko znikają, bo co chwilę pojawia się ktoś chętny na śniadanie.

Placki *puri* i curry z ziemniaków. Na talerzyku z ugniecionych liści bananowca dostaję dwa parujące placki i łyżkę ziemniaków w żółtym sosie.

I tak codziennie.

Z kilkoma wyjątkami.

I te wyjątki właśnie są potrzebne po to, żeby dostrzec coś, na co wcześniej nie zwracałeś uwagi. Bo miałeś dookoła taką obfitość różnych dań, że właściwie nigdy nie zastanowiłeś się nad tym z czego są zrobione i dlaczego je lubisz.

Wystarczy przecież pójść do dużego sklepu. Takiego, gdzie są tysiące półek, na których stoją miliony produktów. Masz wrażenie bogactwa, niewyczerpywalnego źródła, z którego możesz dowolnie wybierać.

Idziesz do działu warzywnego, a tam ze skrzynek wysypują się pomidory, papryki, cebule, marchewki, selery, ziemniaki, pęczki zielonej pietruszki, koperku, sałaty i innych rzeczy. Choćbyś chciał, nie byłbyś w stanie kupić i zjeść wszystkiego. I pewnie nie zdarzyło ci się zatrzymać w biegu, wziąć do ręki bakłażana i przyjrzeć mu się z ciekawością. A wiesz jaki on jest niezwykły?

Ma zaskakującą ciemnofioletową, lśniącą skórkę, zielony kołnierzyk i nietypowy kształt, bo z jednej strony zawsze jest grubszy. W środku też jest zaskakujący, ani miękki, ani twardy, ma dziwny miąższ niepodobny do innych warzyw.

Ale wiesz jak to jest.

W wielkim tłumie różnych dóbr nie ma czasu, żeby dokładnie im się przyglądać. W dodatku od dziecka jesteś przyzwyczajony do tego, że ktoś za ciebie przerabia te rozmaite warzywa na coś, co jest dla ciebie wygodne i gotowe do zjedzenia.

Po co miałbyś oglądać z zainteresowaniem pomidory, skoro w barze szybkiej obsługi z tanimi przekąskami masz tego pomidora jako keczup w jednorazowej saszetce?

Prawda?

I właściwie podświadomie wolisz keczup z plastikowej torebki, bo jest bardziej czerwony i ma mocniejszy smak niż prawdziwy pomidor. I wtedy myślisz sobie, że po co ci te pomidory, skoro masz taki fantastyczny wynalazek jak keczup do parówki, koncentrat w puszce do zupy i gotowy sok pomidorowy w kartonie. To po co ci ten pomidor? Ach, no tak, do sałatki z mozzarellą. Ale poza tą sałatką?

Zupę zrobisz z puszki, bo wtedy ma ładniejszy, czerwony kolor. Sok wypijesz z kartonu, bo jest fajnie gęsty. A keczup, wiadomo, zawsze musi być w lodówce.

I właściwie nie byłoby w tym nic złego.

Gdyby nie to, że żadna z tych rzeczy nie jest *prawdziwa*. To są tylko podróbki wytworzone w fabrykach z syntetycznych półproduktów i chemicznych dodatków, które nadają im sztuczny smak, sztuczny kolor i sztuczny zapach. Twój ulubiony keczup jest tak daleki od pomidora, jak Madagaskar od Krakowa. Łączy je jedynie dawny wspólny przodek, obecny tylko na wyblakłych fotografiach.

Rozumiesz?

Nasza cywilizacja zmierza do tego, żeby wszystko uprościć i przyśpieszyć. To fajnie, pod warunkiem że udzieli ci jednocześnie uczciwej informacji na temat metod, jakie stosuje. Po to, żebyś miał pełną świadomość tego czym różni się sok pomidorowy w kartonie od soku pomidorowego zrobionego w domu z pomidorów.

I to jest sedno całej sprawy.

Bo ty nie wiesz jaka jest różnica, a przemysł spożywczy na tym właśnie opiera swoją działalność i zarabianie pieniędzy.

ROZDZIAŁ 2

Płaszcze i pomidory

Najnowsze modele samochodów są tak zaprojektowane, żebyś nie musiał myśleć. Same jadą, same parkują, same zwalniają przed światłami.

Z jedzeniem jest tak samo. Masz gotowy sok w kartonie za dwa złote. Myślisz, że twoja cywilizacja jest taka fantastyczna, że sama za ciebie kupiła najlepsze dojrzałe pomidory i wycisnęła z nich sok, który dla twojej wygody przelała do kartonów i postawiła na półce sklepu. Patrzysz, kurczę, kilogram tych dobrych polskich pomidorów kosztuje dziesięć złotych, a tu mam cały litr soku pomidorowego za dwa pięćdziesiąt! No, super po prostu!

Na opakowaniu widzisz fajne, uśmiechnięte pomidory z zielonymi szypułkami. Wyglądają tak samo jak te drogie pomidory ze specjalnej uprawy. Twój umysł nieprzyzwyczajony do racjonalnego myślenia, szybko i wygodnie zakłada, że producent soku zapewne sam zebrał dojrzałe, najlepsze pomidory ze swojego pola i dlatego wyszło mu tanio, a rolnik sprzedający te kosmicznie drogie pomidory to chciwy gość, który chce zedrzeć z ciebie skórę i w jeden sezon zarobić na całe życie.

I nawet do głowy ci nie przyjdzie, że jest dokładnie odwrotnie.

Producent soku musiał kupić tanie pomidory z plantacji, gdzie warzywa są hurtem sadzone i polewane chemicznymi substancjami zatrzymującymi ewentualne choroby i szkodniki. Potem w fabryce pomidory są chemicznie przerabiane na koncentrat, a potem z tego koncentratu robi się twój sok. Pomiędzy sokiem pomidorowym ze sklepu a świeżym dojrzałym pomidorem znajduje się różnica tak wielka, jak Ocean Spokojny.

Nie wiesz o tym tak samo jak ja o tym nie wiedziałam. Ja też piłam soki z kartonu, jadłam zupki z proszku i chleb z supermarketu. I też miałam takie podświadome przekonanie, że wszystkie te produkty są robione dla mojego dobra – żebym nie musiała się śpieszyć i męczyć z obieraniem, gotowaniem, wyciskaniem czy pieczeniem. Żeby mi było po prostu łatwo, miło i wygodnie.

I dopiero potem odkryłam, że wcale nie jest prawda. Te wysoko przetworzone produkty zrobione w fabrykach z dodatkiem chemii, która je konserwuje i obniża cenę, są wytwarzane tylko po to, żeby na nich zarobić. Żeby istniały fabryki żywności, w których zatrudnia się dyrektorów, techników, dział marketingu i promocji. To nie jest zdrowe jedzenie. To jest najbardziej chore i szkodliwe jedzenie, jakie można sobie wyobrazić. Tyle że rzadko kto o tym wie i rzadko kto głośno o tym mówi.

Kiedy to odkryłam, postanowiłam napisać książki z serii „W dżungli zdrowia".

I teraz wracam do Indii.

Wyobraź sobie. Codziennie przez cztery tygodnie jesz tylko smażone w głębokim tłuszczu placki – czasem ciepłe, czasem zimne, a do tego curry z ziemniaków w wydaniu ulicznym, czyli ugotowane ziemniaki w rzadkim żółtym sosie. Czasem trafi się garstka gotowanej ciecierzycy, trochę ryżu, czasem kotlecik z warzyw usmażony jak pączek. I nic więcej.

I pewnego dnia przyjeżdżasz indyjskim pociągiem spóźnionym sześć godzin do nowego miasta. Jest już wieczór, szybko robi się ciemno. Znajdujesz hotel przy dworcu, rzucasz bagaż na łóżko w pokoju i wybiegasz, żeby coś zjeść, bo głód targa twoimi wnętrznościami jak huragan.

Jest bar! Taki uliczny, gdzie kucharz smaży placki na zewnątrz, a obok niego stoją garnki gotowego jedzenia. Ale są trzy drewniane stoliki i krzesła. Siadasz z ulgą i z góry zgadzasz się na wszystko, co można tu dostać do zjedzenia. Nie ma oczywiście karty ani wyboru dań, nikt nie mówi po angielsku, ale kucharz z chochlą patrzy na ciebie sympatycznym wzrokiem i upewnia się:

– *Puri?*

– Tak! – wołasz z zachwytem, że rozumiesz to słowo i że z całą pewnością oznacza ono coś do zjedzenia.

Wysilasz skołowany turkotaniem wagonów mózg i dorzucasz pełnym nadziei głosem:

– *Sabji?*

Dogadaliście się!!! Kucharz kiwa potakująco głową, napina muskuły na ramionach nie zakrytych białą koszulką, sięga po talerz. *Sabji* to lokalna nazwa curry z ziemniaków. W wersji bardziej luksusowej dodaje się do nich pomidora, papryki, fasolki, różnych rzeczy. W wersji codziennej jest to curry z ziemniaków z ziemniakami. Bo niczego innego nie ma pod ręką.

Wiem, już się przyzwyczaiłam. Czekam więc cierpliwie przyglądając się szalonemu ruchowi w małej uliczce.

Wszyscy się śpieszą. Riksze z pasażerami, rowerzyści, piesi, motocykle. Samochody nie mieszczą się w tym zaułku, więc tęsknie trąbią klaksonami kilkanaście metrów dalej.

A może mam dzisiaj szczęście i placki *puri* będą suche, dobrze odsączone z tłuszczu? A może nawet trafi mi się prawdziwe gorące *sabji.* Aż przełknęłam ślinę na tę myśl. Wiesz jak ogromna jest różnica między zimnym a gorącym sabji? Ach! To pierwsze zbija się w żołądku jak kula, która daje poczucie zaspokojenia głodu, ale jednocześnie jest dziwnie ciężka i smutna. To drugie sprawia, że krew zaczyna szybciej krążyć, porusza wszystkie komórki, z które z radością czerpią z niego pożywienie i siłę.

No, ale w czasie samotnych wypraw nie mam luksusów ani wyboru. Jem to, co jest, czyli to, co jedzą otaczający mnie ludzie. Jeśli dla nich wystarcza oklapnięty, zimny placek polany żółtym sosem z kawałkiem ziemniaka, to dla mnie też musi.

Indie. Wychodzisz
na śniadanie.
Kucharz z gorącą
ciecierzycą gdzieś znikł.

Idzie kucharz. Oczy zaczynają mi się świecić jak latarnie podczas zamglonej nocy.

O słodki Boże!!! Cztery placki *puri* są świeżo usmażone i wydęte jak żagle okrętu na oceanie, a znad metalowej miseczki unoszą się obłoczki pary, co niechybnie oznacza, że jedzenie jest gorące!!! O, dzięki ci, dobry świecie!!! Niczego więcej nie potrzebowałam do szczęścia!!!

Chwytam za placek – widelca nie było, bo w Indiach je się palcami i w zwykłym ulicznym barze sztućce w ogóle nie istnieją. Chwytam więc za placek i nagle zastygam w największym, najbardziej zachwyconym zdumieniu.

Wyobraź sobie to codzienne, ciepłe *sabji* z ziemniaków. Zawsze wygląda tak samo, jak gdyby wyszło spod ręki tego samego kucharza. Czy w Kalkucie, czy w Waranasi, czy w wiosce po drodze – ziemniaki pokrojone na kawałki i zanurzone w żółtym sosie. I nagle! Na pagórkach jasnożółtych ziemniaków niespodziewanie pojawiają się cudowne, soczyste, zaskakujące zielone kulki!!! Czyli groszek!!!

Aaaaaaa!!! Jaka ja byłam szczęśliwa!!!

Jeszcze nigdy widok zielonego groszku nie dał mi tyle radości!!! Placki były świeże i gorące, a *sabji* z ziemniaków zostało zrobione z dodatkiem groszku! Rozkosz!!! Szczęście!!! Cudowna niespodzianka!!!

I wtedy też uświadomiłam sobie pewną rzecz.

Ja przecież znałam zielony groszek. Kiedy byłam mała, wiosną przywoziliśmy zielony groszek w strączkach do domu i trzeba było go łuskać.

Ale wiesz co? To był ostatni raz, kiedy spotkałam prawdziwy groszek. Jedliśmy wtedy małe, świeże kuleczki, a resztę moja mama dodawała do zupy. A później...

Potem często tu i ówdzie jadałam marchewkę z groszkiem, czasem nawet sama ją robiłam, ale nigdy z prawdziwej marchewki i prawdziwego groszku. Zawsze z gotowej mrożonki albo plastikowej torebki. Czasem w bufecie albo restauracji podawali marchewkę z groszkiem, ale sądząc po idealnie kwadratowych kawałkach marchewki, to też było danie zrobione z mrożonki.

I jakoś nigdy mi specjalnie nie smakowało.

Wtedy myślałam, że po prostu nie przepadam za marchewką i groszkiem.

Dzisiaj wiem, że powód był zupełnie inny.

W rzeczywistości chodziło o to, że zarówno marchewka, jak i groszek w mrożonce albo podgotowanej porcji nie były *prawdziwe*. Nie miały tego, w co zostały wyposażone przez naturę, ponieważ ich hurtowa obróbka i produkcja te najlepsze i najbardziej wartościowe rzeczy w nich zabiła.

Rozumiesz?

To jest tak samo jakbyś umówił się na randkę ze śliczną i mądrą osobą poznaną w Internecie. Przychodzisz na spotkanie, a ona zamiast przyjść osobiście, wysyła swojego klona, czyli syntetycznego robota stworzonego na jej podobieństwo.

Taka sama jest różnica między świeżym, naturalnym jedzeniem w kształcie, w jakim zostało stworzone przez naturę, a tym samym jedzeniem w postaci przerobionej i przygotowanej przez fabrykę.

A różnica bierze się stąd, że żeby to coś przerobić i zapakować w sposób, jaki będzie dla ciebie wygodny do użycia, trzeba zastosować chemiczne środki przedłużające trwałość, usuwające naturalne substancje i zmieniające strukturę cząsteczek składających się na naturalny pokarm.

I dlatego takie jedzenie smakuje zupełnie inaczej. Bo w rzeczywistości kiedy pijesz sok z kartonu, jesz zupę z proszku albo jogurt z plastikowego kubka, to twój umysł dostaje zafałszowane informacje o tym jak to smakuje, pachnie i wygląda. Zafałszowane przez chemiczne dodatki dorzucone do fabrycznie robionego jedzenia. I dlatego dopóki karmisz się gotowymi daniami ze sklepów i barów szybkiej obsługi, to w ogóle nie masz pojęcia o tym co naprawdę lubisz i co jest smaczne, ponieważ chemiczne dodatki manipulują twoimi zmysłami i zmieniają sposób, w jaki postrzegasz żywność. Nie mówiąc już o tym, że cały twój organizm jest przez nie atakowany i stopniowo coraz bardziej traci swoją naturalną moc.

I teraz powiem ci tak.

Podświadomość usiłuje zdobyć dla ciebie poczucie bezpieczeństwa. Robi to czasem w dość prymitywny i obiektywnie niezupełnie racjonalny sposób. Na przykład sugeruje, że bezpieczny będziesz wtedy, kiedy będziesz miał dużo.

Dużo wszystkiego. Dużo czegokolwiek. Dużo jedzenia. Dużo pieniędzy. Dużo parówek w lodówce. Dużo lodów w zamrażarce. Dużo skarpetek w szufladzie. Nieważne jakie, czy ciepłe i ładne, czy dziurawe i stare, byle było ich dużo. Jak najwięcej. Najlepiej tak, żeby szuflada prawie się nie domykała.

To nierozsądne, prawda? No przecież każdy głupi wie, że szuflada pełna skarpetek niczego nie zmienia w życiu. A jednak. Twoja podświadomość wie tylko tyle, że posiadanie dużej ilości rzeczy daje poczucie bezpieczeństwa. Więc każe ci gromadzić. Cokolwiek. Suszone kwiaty ze szczególnych bukietów. Lalki. Koszulki bez rękawów. Buty. Konserwy. Kawałki mrożonego mięsa. Łańcuszki. Cokolwiek. A najlepiej wiele różnych rzeczy.

To ma ci dać pozór poczucia bezpieczeństwa. Złudzenie. Tylko złudzenie.
Bo gdybyś naprawdę miał poczucie bezpieczeństwa, to przestałbyś czuć potrzebę nieustannego gromadzenia.

A wiesz jak ma się do tego zielony groszek?

Kiedy masz bardzo dużo różnych rzeczy dookoła, widzisz tylko ich mnogość. Dostrzegasz, że jest ich dużo, sycisz się poczuciem, że jesteś bogaty, żyjesz w dostatku, stać cię na kupienie wielu rzeczy. To się przekłada na podświadome zaspokojenie brakującego ci poczucia bezpieczeństwa.

Nasza cywilizacja usłużnie dostarcza ci masy hurtowo produkowanych, tanich, bezwartościowych przedmiotów i równie taniego, bezwartościowego, syntetycznie zakonserwowanego i chemicznie zmienionego jedzenia.

Od tego zaczyna chorować twój umysł, twoja dusza i twoje ciało.

Ale twoje poczucie bezpieczeństwa zostaje utrzymane w iluzji zaspokojenia.

Dlatego będziesz się garnął do takiej masowej cywilizacji i będziesz czuł potrzebę pójścia do sklepu, gdzie są tysiące dostępnych dla ciebie towarów. Na tyle tanich, że możesz sobie pozwolić na wrzucanie ich do koszyka. One są tanie dlatego, że są bezwartościowe. Wypruto z nich wszystkie zdrowe, naturalne substancje, zastępując je syntetycznymi. To jedzenie powoli zatruwa twoje ciało, ale ty nie chcesz o tym wiedzieć.

Chcesz pozostać w krainie obfitości i nie chcesz przyjąć do wiadomości, to jest obfitość nieprawdziwa. Ona jest kłamstwem. Ona udaje, że jest obfitością pożywienia i zdrowia, ale w rzeczywistości jest tylko nagromadzeniem wielkiej ilości bezwartościowych śmieci, którymi ciebie napełnia. A ty sam chętnie po nie sięgasz.

W tej masie tracisz zdolność dostrzegania i doceniania tego, co masz.

Pamiętasz jak kupiłeś sobie pierwszy płaszcz albo pierwsze buty? Pamiętasz jaka to była radość? Jak cieszyłeś się całym sobą, że masz coś, na co długo czekałeś, co sobie wymarzyłeś, czego pragnąłeś z dziecięcym zachwytem?

A czy pamiętasz, że to uczucie nie pojawia się już nigdy później? Kiedy kupujesz dwudziesty płaszcz do kolekcji albo jeszcze jedną parę butów, które tak naprawdę wcale nie są ci niezbędnie potrzebne? Prawda?

Wiesz jaka jest między nimi różnica?

Te pierwsze buty były ci potrzebne. A te wszystkie następne były tylko powiększaniem kolekcji.

Z jedzeniem jest tak samo.

Kiedy dookoła masz mnóstwo wszystkiego, przestajesz widzieć co tak naprawdę masz.

I wtedy najlepszą rzeczą, jaką można by zrobić, to zabrać ci wszystko.

Odebrać ci całą masę przedmiotów, które nagromadziłeś. Odebrać ci pieniądze, za które kupujesz bez zastanowienia tanie, bezwartościowe, śmieciowe jedzenie.

Bo dopiero kiedy stracisz wszystko, nagle odzyskasz umiejętność docenienia tego, co miałeś.

I tak właśnie było z zielonym groszkiem.

ROZDZIAŁ 3

Najlepsi przyjaciele

To był najlepszy zielony groszek w moim życiu. Równie dobry jak ten, który znałam z dzieciństwa i który ręcznie wyjmowaliśmy z zielonych strączków przywiezionych z ogródka mojej mamy.

Siedziałam nad metalowym talerzem w indyjskim barze i nagle przypomniałam sobie, że jakieś dziesięć lat temu wiosną w sklepie warzywnym zobaczyłam groszek w strączkach. Zawahałam się. No bo co ja z nim zrobię? Ale pomyślałam, że przecież świeży zielony groszek jest smaczny, więc kupię trochę i po prostu go zjem.

Kupiłam. I nie zjadłam, bo okazało się, że jest suchy i niesmaczny. I w ogóle nie przyszło mi wtedy do głowy, że mogłabym go wykorzystać do ugotowania jakiejś potrawy.

Przecież wystarczyłoby dorzucić ten zielony groszek z zupy z warzyw albo do soczewicy albo do kaszy albo nawet do ziemniaków czy do marchewki.

Ale nie. Jeszcze wtedy myślałam inaczej. Zupę wolałam zrobić z proszku, żeby było szybciej, a warzywa kupowałam tylko do jedzenia na surowo. No i tak właśnie rozminęłam się z jednym z największych zachwytów mojego życia, czyli z zielonym groszkiem.

Ale wiesz jak to jest.

Kiedy błądzisz i upierasz się przy robieniu rzeczy, które wcale nie są dla ciebie dobre, zmierzasz prosto do pustyni. Oczywiście nie zdajesz sobie z tego sprawy, tylko walczysz, żądasz, sycisz się krótkimi zwycięstwami i usiłujesz poradzić sobie z nawarstwiającą się masą coraz trudniejszych spraw. Aż wreszcie przychodzi dzień, kiedy padasz bez sił. I uświadamiasz sobie, że właściwie nic nie masz. Nic. Dookoła została tylko pustynia.

Wiesz dlaczego tak jest?

Bo to jest jedyny sposób, żeby skierować cię we właściwą stronę. Wcześniej życie podsuwało ci różne wskazówki, ale ty je uparcie ignorowałeś albo odczytywałeś tak, jak było ci wygodniej.

I kiedy zagubisz się w tych wszystkich półprawdach i udawaniach, życie po prostu pewnego dnia zabierze ci wszystko, żebyś mógł z pełną jasnością dostrzec co tak naprawdę jest ważne i wartościowe, a co nie.

No i tak było z groszkiem.

Straciłam wszystko z kulinarnego punktu widzenia. Nie miałam wyboru ani możliwości, żeby to zmienić. Nie

Zdrowie
jest czymś bardzo prostym.
I bardzo naturalnym.

mogłam gotować i nie mogłam pójść do lepszej restauracji, bo żadna taka po prostu tam nie istniała. Jadłam więc te okropne placki smażone w głębokim tłuszczu i ziemniaki z ziemniakami w żółtym sosie i w taki właśnie sposób życie nauczyło mnie pokory.

Kiedy po miesiącu dostałam miseczkę ziemniaków z zielonym groszkiem byłam tak szczęśliwa, że zapamiętam ten dzień do końca życia.

I o to właśnie chodzi.

Chodzi o to, żeby w tej przeogromnej masie towarów, jakie otaczają cię na półkach w każdym sklepie, umieć świadomie dostrzec to, co jest dla ciebie dobre, zdrowe i pełnowartościowe.

Mam nadzieję, że po przeczytaniu poprzednich książek z tej serii nie sięgniesz już po żadne rzeczy w proszku, w puszce, kartonie czy innym opakowaniu. Nie będę więc już pisać o tym, czego unikać.

W tej książce chcę ci przypomnieć o kilkunastu rzeczach, o których już być może zapomniałeś albo przestałeś zwracać na nie uwagę, a które są absolutnie fantastyczne. Zdrowe, smaczne i potrzebne jak najlepsi przyjaciele.

Nie będę podawała całego zestawu witamin i pierwiastków, bo to możesz sobie znaleźć w Internecie, a poza tym ja naprawdę zawsze miałam wrażenie, że nic mi nie dają takie informacje.

Że szpinak ma luteinę, beta-karoten, witaminę C, potas, żelazo i witaminę E? No i co z tego?

Kiedyś tak próbowałam myśleć o jedzeniu, ale moim zdaniem to nie ma sensu.

Szpinak ma luteinę? Aha. Musiałabym najpierw wiedzieć co to jest luteina albo kwas foliowy. No to sięgałam do źródeł, czyli czytałam najpierw encyklopedyczno-matematyczny skład szpinaku, a potem encyklopedyczno-chemiczne objaśnienia jego wszystkich składników, a kiedy skończyłam to czytanie, to nie miałam już ochoty ani na jedzenie, ani na gotowanie, ani w ogóle na myślenie o zdrowiu.

Te informacje brzmiały bardzo skomplikowanie, a poza tym nie dawały mi niczego w praktyce. Instynktownie czułam, że ściśle matematyczne podejście do zdrowia i jedzenia to tylko czubek góry lodowej. To tylko ludzka próba okiełznania czegoś, co nas przerasta i jest niemożliwe do rozebrania na kawałki i oblepienia etykietkami.

Pomyślałam, że to powinno być proste.
Bo zdrowie jest czymś bardzo naturalnym i bardzo prostym.

Dużo bardziej naturalnym i prostym niż zliczanie kalorii, indeksów glikemicznych, gramów białka i węglowodanów, ilości poszczególnych witamin i pierwiastków.
I pomyślałam, że jeżeli to jest takie naturalne i proste, to może wystarczy rozejrzeć się dookoła i dostrzec sposób, w jaki jesteśmy powiązani ze światem, jaki nas otacza, bo przecież to on jest dla nas źródłem pożywienia.

I tak właśnie odkryłam Witaminę W.

ROZDZIAŁ 4

Witamina W

Witamina W to Witamina Wszystko. W jak Wszystko, co jest najlepsze i Wszystko, co jest potrzebne człowiekowi.

No, ale jak ją znaleźć?

Bardzo prosto.

Świat ci ją dostarcza dokładnie wtedy, kiedy jest ci najbardziej potrzebna i w takiej formie, jaka jest dla ciebie najlepsza.

Rozejrzyj się. Różne pory roku przynoszą różne warzywa i owoce. Skoncentruj się na tych, które rosną w pobliżu ciebie. Nie na importowanych bananach, kiwi czy cykorii, które wyrosły w innej ziemi, piły inną wodę, zostały prawdopodobnie zerwane niedojrzałe, a potem przez wiele dni podróżowały w skrzyniach na drugą stronę oceanu.

Banany są fantastyczne w Kostaryce czy w Kolumbii. Objadam się nimi kiedy jestem w Ameryce Południowej,

Witamina W –

W jak Wszystko, co jest potrzebne człowiekowi

Azji czy Afryce. Ale w Europie raczej nie dotykam bananów. Z dwóch powodów – po pierwsze dlatego, że są zalewane wielkimi ilościami chemicznych środków, które najpierw hamują dojrzewanie, a potem je sztucznie wywołują i przyśpieszają. A po drugie dlatego, że te banany dostępne w Europie mają *zupełnie* inny smak niż prawdziwe banany w tropikach. Prawdziwe, czyli takie, które dojrzewały spokojnie na drzewach w tamtym cudownym słońcu.

No i zobacz.

W naszej strefie klimatycznej mamy różne wyjątkowe rzeczy, które nie istnieją w innych częściach świata. Myślisz, że kasza gryczana jest znana na całym świecie? Ha! Nic z tych rzeczy! Jesteśmy wyjątkowo uprzywilejowani, bo mamy nie tylko kaszę gryczaną czy jęczmienną, ale i poziomki, maliny, czarne jagody, jabłka, gruszki, śliwki, zielony groszek, rzepę, pasternak i wiele innych rzeczy, które byłyby czymś bardzo egzotycznym i nadzwyczajnym dla mieszkańca Brazylii, Nigerii albo Tajlandii.

I te nasze nadzwyczajne specjalności pojawiają się w określonych momentach przez cały rok. Po to, żeby cię wzmocnić i utrzymać w zdrowiu w najlepszy możliwy sposób.

Ale zobacz.

Kiedy zapytam o witaminę C, to co mi odpowiesz w pierwszym odruchu? Zapewne:

– Pomarańcze!

Prawda?

A jak myślisz, dlaczego w pierwszym odruchu nie powiedziałeś, że najwięcej witaminy C mają czarne porzeczki?

Pewnie nie miałeś o tym pojęcia. Nasze fantastyczne polskie czarne porzeczki zawierają prawie cztery razy więcej witaminy C niż pomarańcze. Jak myślisz, dlaczego o tym nie wiedziałeś?

Z dwóch powodów.

Po pierwsze pewnie nigdy tego nie sprawdziłeś, a po drugie twoja podświadomość zgromadziła dużo szczątkowo prawdziwych informacji zasłyszanych z reklam i haseł promocyjnych. Wtedy wydaje ci się, że coś wiesz, choć w gruncie rzeczy ta twoja wiedza to zbiór różnych stereotypów, uprzedzeń i skrótów myślowych.

To dlatego właśnie kiedy mówię, że nie jem mięsa, często słyszę zdziwiony głos:

– No jak to, ale co z białkiem?

Bo wieść gminna głosi, że trzeba jeść białko, a białko jest w mięsie.

Wieść gminna dobrze służy producentom mięsa i jest częściowo prawdziwa. To prawda, że trzeba jeść białko – podobnie jak wiele innych składników odżywczych. To nieprawda, że białko jest tylko w mięsie.

Fantastycznym źródłem bardzo dobrego i bardzo zdrowego białka są warzywa strączkowe (soczewica, groch, fasola, ciecierzyca, zielony groszek i podobne) oraz orzechy. Jeszcze coś ci powiem. Biorąc pod uwagę to, w jaki sposób produkowane jest mięso – w przemysłowych hodowlach, gdzie zwierzęta są karmione syntetycznym jedzeniem z dodatkiem antybiotyków i przyśpieszaczy masy – to skromne białko zawarte w fasoli jest sto razy zdrowsze od tego, jakie znajdziesz w niezdrowym mięsie z przemysłowych hodowli.

Rozumiesz?
Różne rzeczy powtarza się z przyzwyczajenia.

Na pewno też słyszałeś, że drób jest zdrowszy, bo bardziej chudy od czerwonego mięsa. To kiedyś była prawda. Wtedy, kiedy kury chodziły sobie po podwórkach i skubały ziarno. Teraz kurczaki na fermach są tuczone specjalnymi preparatami, żeby jak najszybciej przybierały na wadze, co w praktyce oznacza, że ich mięso jest kilka razy bardziej tłuste niż kiedyś. I bardziej tłuste niż wołowina. Tak, widziałam takie badania.

I co na to powiesz?

Kiedy zaczęłam sobie uświadamiać takie właśnie różne proste, ale fundamentalnie ważne sprawy, zaczęłam inaczej myśleć o jedzeniu. A kiedy otworzyłam oczy i rozejrzałam się dookoła, zauważyłam, że natura podsuwa nam gotowe, proste i bardzo dobre rozwiązania, tylko my jakoś nie mamy ochoty jej słuchać, bo zbytnio jesteśmy zajęci uczestniczeniem w pogoni za kijem, na którym być może wciąż wisi marchewka, ale jeżeli tam jest, to z pewnością jest zrobiona z plastiku i pomalowana na pomarańczowo.

ROZDZIAŁ 5

Witamina Ż

Witamina W to coś więcej niż wszystkie witaminy razem wzięte.

Teraz znowu się narażę i znów będziecie na mnie krzyczeć, że nie mam prawa krytykować naukowców ani podważać ich wiarygodności. Nie zamierzam tego robić. Chcę powiedzieć tylko tyle, że naukowcy przedstawiają jedynie to, co są w stanie zmierzyć i opisać. I są w tym świetni – ale tylko do takiego stopnia, w jakim pozwalają im na to dostępne narzędzia wynalezione przez innych naukowców.

I to dlatego właśnie co chwilę pojawiają się nowe odkrycia naukowe – stopniowo, na miarę tego, jak rozwija się nauka wraz ze swoimi miernikami. A potem pojawiają się następne badania, które zaprzeczą wcześniejszym badaniom. A potem będą jeszcze nowe badania, które odwołają wszystkie badania robione w przeszłości. Prawda?

Nie krytykuję naukowców.

Chcę powiedzieć tylko tyle, że w naturze występują takie rzeczy, których naukowo nie da się zmierzyć, a które mają ogromny wpływ na ludzki organizm.

Podam przykład.

Doktor biologii jest w stanie wymienić wszystkie części składowe ludzkiego ciała. Wie ile mamy kości, jak działa trzustka, z czego jest zbudowana krew. Ale nie potrafi wyjaśnić co to jest dusza, gdzie jest i jak działa.

Z roślinami jest tak samo.

Naukowiec wie ile i jakich składników znajduje się w brukselce, potrafi podać ich liczby i opisać ich działanie – ale tylko w takim zakresie, jak zostało to wcześniej zbadane przez naukę.

Rozumiesz? Nie podważam teraz nauki. Chcę powiedzieć tylko tyle, że są rzeczy, których nie można zmierzyć za pomocą dzisiaj znanych instrumentów. Tak jak nie można zmierzyć ludzkiej duszy, prawda? A jednak ona istnieje. Nawet nie wiemy właściwie czym jest to, co nas utrzymuje przy życiu i czym jest ta dusza, nie mówiąc o próbie podania jej jakichkolwiek naukowych parametrów.

Chodzi mi tylko o to, że są takie rzeczy, których nie da się zmierzyć naukowo, a które są ogromnie ważne.

Na przykład nie da się zmierzyć ani precyzyjnie opisać w jaki sposób różne pojedyncze składniki zawarte w roślinach – i znane nauce – są ze sobą powiązane i jak wzajemnie wpływają na swoje działanie.

I to jest właśnie witamina W.

Witamina W to jest Wszystko, co znajduje się w pożywieniu – witaminy, pierwiastki, mikroelementy, wraz ze wszystkimi zależnościami, jakie między nimi istnieją. Mam na myśli oczywiście pożywienie w naturalnej postaci, zanim zostanie zmienione albo przerobione przez człowieka.

Mam na myśli marchewkę w ogrodzie, ale nie marchewkę w słoiku. Mam na myśli jabłko na drzewie, ale nie sok jabłkowy w kartonie. Pszenicę, która rośnie na polu, ale nie zboże zmodyfikowane genetycznie i przemielone na chemicznie oczyszczoną mąkę.

Witamina W to jest Wszystko, co natura stworzyła po to, żeby utrzymać nas w zdrowiu i sile. Dla różnych ludzi w różnych częściach świata przygotowała nieco odmienny zestaw tego, co jest najbardziej wskazane i potrzebne.

Indianie w puszczy amazońskiej na co dzień jedzą maniok, Innuici na Dalekiej Północy odżywiają się głównie świeżo schwytanym mięsem dzikich zwierząt, Indianie z prerii Ameryki Północnej jedli kukurydzę, fasolę i dynię. Zdarzało się upolować bizona, ale było to na tyle trudne i niebezpieczne, że nikt nie robił tego codziennie.

W tym też jest głęboki sens. Rzeczy trudne do zdobycia jada się rzadko. I dlatego bizon uciekał przed myśliwymi, bo gdyby myśliwi codziennie na każdy posiłek jedli jego mięso, to zamiast się wzmocnić, zaczęliby słabnąć.

Rozumiesz?

Doktor biologii potrafi
policzyć ile mamy kości,
ale nie wie co to jest dusza
i jak działa.
Z roślinami jest tak samo.

Natura nie jest zbiorem chaotycznych przypadków. Wprost przeciwnie. Natura przygotowała nam to, co jest potrzebne i podaje nam to w najlepszy możliwie sposób.

Ludzie kiedyś to rozumieli i akceptowali, a potem postanowili przejąć kontrolę w przekonaniu, że wiedzą lepiej i potrafią to lepiej zorganizować.

No bo po co czekać aż myśliwi wrócą z polowania, skoro można mięso przemielić, zalać konserwantami i sprzedawać ludziom codziennie w wielu sklepach? Tak, żeby nigdy im nie zabrakło ulubionego kotleta, parówki i szynki?

Teoretycznie słuszne. W praktyce – zabójcze.

Każda rzecz, którą kupujesz w nienaturalnej postaci, musiała zostać chemicznie zubożona i zmieniona. Bo to, co jest naturalne i zdrowe, szybko się psuje. A ilość chemii dodawanej do jedzenia rośnie jak lawina – bo równie szybko rozwija się nauka, podsuwająca coraz to nowe wynalazki, dzięki którym można jedzeniu sztucznie nadać wszystkie pożądane cechy – od koloru, przez zapach, kształt, konsystencję, aż po smak.

Przetworzone fabrycznie warzywa, owoce i mięso teoretycznie nadają się do zjedzenia.

Ale w praktyce nie mają tego, co najważniejsze – czyli życia. A martwe jedzenie nie dostarczy ci zbyt wielu składników do życia.

Dlatego namawiam cię do tego, żebyś spróbował znaleźć proste i naturalne rzeczy do jedzenia. One zawierają to wszystko, o czym głoszą naukowcy – od żelaza przez witaminę C, węglowodany i białka aż po beta-karoten. Ale zawierają też to, o czym naukowcy nie mówią, bo nie wiedzą jak to schwytać i opisać.

To się nie daje złapać do szkiełka w laboratorium. Nie da się napisać o tym pracy magisterskiej popartej liczną bibliografią.

To jest coś równie nieuchwytnego jak ludzka dusza. I równie ważnego, bo jest tym najważniejszym składnikiem utrzymującym nas przy życiu.

Tak jak człowiek to więcej niż kości, organy wewnętrzne, naczynia krwionośne i mięśnie, tak warzywa i owoce to więcej niż skórka, miąższ, węglowodany, białka i tłuszcze.

I tak samo jak o wartości człowieka nie świadczy liczba jego mięśni, uderzeń serca na minutę ani czas, w jakim przebiega sto metrów, tak samo o wartości warzywa nie przesądza zestaw jego witamin, kaloryczność ani ilość zmierzalnego białka.

Wiesz dlaczego?

Bo to są tylko liczby. One dobrze wyglądają w książkach i zeszytach, ale nijak mają się do twojego ciała, organizmu i życia, jakie się w nim toczy.

Rozumiesz?

To tak, jakbyś powiedział:

– Lubię spotykać się z przyjacielem, bo ma 108 centymetrów obwodu w ramionach.

Ha?!?!!... Czy kiedykolwiek przyszło ci do głowy pytać przyjaciela ile ma centymetrów obwodu w ramionach?

Nie?

To dlaczego pytasz ile kalorii ma orzech włoski?!

Spotykasz się z przyjacielem dlatego, że go lubisz, dobrze wam się razem rozmawia, może macie wspólne zainteresowania albo po prostu fajnie wam się razem spędza czas. Nic więcej.

Ten twój przyjaciel pewnego dnia po prostu znalazł się w twoim życiu, a ty nie sprawdzałeś czy ma właściwą liczbę kości i z jaką prędkością płynie jego krew w żyłach. Po prostu zaakceptowałeś go w swoim życiu, polubiłeś i chętnie spędzasz z nim czas.

I tak samo jest z jedzeniem.

Jedz wszystko – ale tylko to, co stworzyła dla ciebie natura.

Natura przez cały rok podsuwa ci dobre, pełnowartościowe rzeczy. Spróbuj gotować z nich proste, zdrowe potrawy. Używaj tylko naturalnych składników – świeżych warzyw, owoców, kasz, brązowego ryżu. Dodawaj proste przyprawy, takie jak pieprz, ziele angielskie, liść laurowy, kminek i podobne. Stosuj na co dzień proste, łatwo dostępne zioła – nać pietruszki, koperek, kolendrę, bazylię, miętę. Używaj naturalnych źródeł tłuszczu – różnych orzechów, migdałów, nasion dyni i słonecznika.

To wystarczy.

Wyczarujesz z nich fantastyczne, zdrowe, pełnowartościowe dania.

Jedz kilka niewielkich, ciepłych posiłków w ciągu dnia. Słuchaj swojego organizmu. To nie przypadek, że czasem masz wielką ochotę na fasolkę szparagową, a czasem w ogóle cię nie pociąga. Bądź elastyczny. Zmieniaj swój jadłospis w zależności od pory roku. Sięgaj po to, co dojrzewa w danym miesiącu roku i rośnie w naszej części świata. Pytaj siebie na co masz apetyt i jedz wtedy, kiedy jesteś głodny.

Dzięki takiemu zdrowemu, pełnowartościowemu jedzeniu twoje ciało odzyska wewnętrzną równowagę i samo wyreguluje swoją wagę i objętość. Wtedy nie będziesz musiał się martwić ani o ilość dozwolonych kalorii, ani o to czy jesz za dużo, czy za mało białka, węglowodanów i tłuszczów.

Bo przecież my – tak samo jak dzikie zwierzęta w dżungli czy na sawannie – jesteśmy zaprojektowani do sprawnej, szczupłej sylwetki, która umożliwia nam najlepsze funkcjonowanie we wszystkich sferach życia – od polowania na pieniądze, przez pracę i rozrywkę, aż po uprawianie sportu.

Silne, sprawne i szczupłe ciało to jest nasz najbardziej naturalny stan.

Ono zmienia się wtedy, kiedy zostaje poddane działaniu nienaturalnych czynników – takich jak choćby chemicznie przetworzone jedzenie. Przypomnę, że dotyczy to także takich rzeczy, jak kostki bulionowe, oleje roślinne, margaryny, alkohol, fabrycznie robione słodycze i wiele innych rzeczy na co dzień obecnych w sklepach. Więcej napisałam o nich w książce „Największe kłamstwa naszej cywilizacji".

A teraz chcę ci przypomnieć ile masz dookoła siebie fantastycznych, cudownych, pełnowartościowych rzeczy, na które być może nie zwróciłeś uwagi. Pewnie dlatego, że zbytnio byłeś zajęty liczeniem kalorii w dietetycznych jogurtach nafaszerowanych chemią.

Daj spokój.

Nie da się ocenić wartości człowieka po liczbie jego dyplomów ani marce samochodu, jaki wziął na kredyt.
Tak samo nie ma sensu określanie wartości natury na podstawie obliczenia poszczególnych składników odżywczych.

Rozumiesz?
Dobre, pełnowartościowe, naturalne pożywienie zawiera to samo, co człowiek rozumiany jako pełna istota ludzka składająca się z ciała i duszy.

Chodzi mi o witaminę W i witaminę Ż.
W jak Wszystko i Ż jak Życie.

ROZDZIAŁ 6

Jabłko z pestkami

Zawsze uwielbiałam jabłka. I zawsze zjadałam je w całości. Zostawał tylko ogonek i kilka blaszek z samego środka. I zawsze wszyscy się dziwili, że zjadam pestki.

– Nie jedz pestek – przestrzegał mnie tata – bo są niezdrowe.

– Dlaczego niezdrowe?

– Zawierają kwas pruski. Czyli cyjanek – dodawał mój tata.

Nie musiał tego dodatkowo wyjaśniać. Przecież to on sam podsunął mi książki Arthura Conana Doyle'a. Zaczytywałam się w opowiadaniach kryminalnych o detektywistycznych przygodach Sherlocka Holmesa.

– Naprawdę? – zdumiałam się.

Cyjanek? W polskich jabłkach?

Gdyby natura chciała,
żebyś garściami jadł pestki
z jabłek, umieściłaby je
na krzakach jak porzeczki

– A czy pamiętasz jaki zapach unosi się w powietrzu kiedy Sherlock Holmes wkracza do domu, gdzie ktoś został otruty?
– Gorzkich migdałów – odpowiedziałam natychmiast.
– Tak właśnie pachnie cyjanek.

O rety, rety! Spojrzałam na niewinne polskie jabłko. Cyjanek? Trucizna? Serio?

Serio.
Mój tata miał rację. Ale jednocześnie nie miał racji i odkryłam to dopiero wiele lat później.

A najdziwniejsze jest to, że ja *lubiłam* pestki z jabłek. Uwielbiałam jabłka, ale zawsze czekałam na moment kiedy zostanie coraz mniejszy ogryzek, aż w końcu zobaczę półprzezroczyste blaszki skrywające brązowe nasiona. Wysypywałam je na dłoń, a potem powoli, po jednej rozgryzałam je i czułam przyjemny, lekko gorzki smak. Smak cyjanku.

Dlaczego miałoby mi smakować coś, co jest dla mnie trujące?
Nie było trujące. I o to właśnie chodzi.

Cyjanek, a dokładniej cyjanowodór, czyli kwas pruski to rzeczywiście trucizna i naprawdę pachnie jak gorzkie migdały. Jest używany czasem do wykonywania kary śmierci, bo blokuje możliwość przenoszenia tlenu przez krew, a więc powoduje śmierć przez uduszenie.
Tak dzieje się wtedy, kiedy stężenie cyjanowodoru jest duże.

A nie mikroskopijnie maleńkie jak w kilku pestkach jednego jabłka.

Ale teraz pytanie:
Jeżeli natura stworzyła dla nas jabłka, to dlaczego umieściła w nim łatwo dostępne pestki zawierające truciznę? Czyżby chciała nas skrzywdzić?

Ha, ha, ha. Jasne, że nie.
Wprost przeciwnie.

Zrobiła to po to, żeby nas chronić przed chorobami. Jakimi dokładnie? Na razie naukowcy potwierdzili tylko jedno – zawarta w pestkach jabłka substancja chroni przed rakiem. Nazwano ją witaminą B17, czyli amigdaliną.

Ale teraz zatrzymajmy się na chwilę.

Wiesz co jest jedną z najbardziej charakterystycznych cech naszej cywilizacji?
Skłonność do przesady. Czyli takie zachowanie, które zamienia prostą i dobrą rzecz w coś ekstremalnego i szkodliwego.

Jak ktoś przedstawi naukowe badanie, że witamina C jest potrzebna, to natychmiast pojawi się przedsiębiorca, który będzie chciał zrobić na tym interes i zacznie dostarczać ludziom masowych ilości przemysłowo produkowanych tabletek z syntetyczną witaminą C. Żeby nikomu nie zabrakło. Żeby ludzie mogli kupować opakowanie po pięćdziesiąt sztuk i codziennie łykać po cztery pigułki.

Pozornie to jest działanie w naszym interesie. Jeżeli udowodniono, że witamina C jest potrzebna i podnosi odporność organizmu, to rzeczywiście każdy powinien ją jeść.

Ale nie w syntetycznej postaci zawartej w tabletkach. I nie garściami.

I są co najmniej dwie ogromne różnice między witaminą C w truskawkach a witaminą C z tabletki.

Wiesz jakie?

Po pierwsze oczywiście witamina w tabletce jest syntetycznie zrobiona w laboratorium, a więc jest obca twojemu organizmowi i trudno stwierdzić w jaki sposób i w jakim stopniu jest przez niego przyswajana.

Po drugie natura zaprojektowała wszystko tak, żeby wzajemnie się uzupełniało i wspierało. Jeżeli witamina C znajduje się w truskawkach, to jej dzienna dawka wynosi tylko tyle, ile truskawek dasz radę zjeść. Rozumiesz?

Pigułka to coś, do czego twój organizm nie został przystosowany. Wyjmujesz z opakowania dziesięć tabletek, popijasz je wodą i połykasz, a twój organizm nie ma żadnej możliwości, żeby ostrzec cię z wyprzedzeniem, że to jest dla ciebie szkodliwe. W ten sposób na przykład połykasz w jeden dzień miesięczną dawkę magnezu albo cynku. A potem się dziwisz, że nie zdrowiejesz i że na dobitkę pojawiają się jakieś dziwne dolegliwości.

A dzieje się tak prawdopodobnie dlatego, że przekraczasz wielokrotnie potrzebne ci dawki mikroelementów

i witamin, wrzucając je w siebie w stężonych dawkach w tabletkach.

A gdybyś chciał uzupełnić niedobór witaminy C w taki sposób, jak przewidziała natura, to wziąłbyś miseczkę truskawek i zaczął je jeść. W pewnej chwili poczułbyś, że na więcej nie masz ochoty. Bo właśnie w ten sposób twój organizm informuje cię o tym, że dostał już to, czego potrzebuje. I poprosi o następną dawkę wtedy, kiedy będzie mu potrzebna.

No i teraz zobacz.

Kiedy napisałam, że pestki jabłek zawierają profilaktyczne lekarstwo na raka, co sobie pomyślałeś?

Pewnie że sprawdzisz w Internecie gdzie można na kilogramy kupować pestki z jabłek? Albo że zaraz kupisz kilo jabłek, wydłubiesz z nich pestki i będziesz jeść, żeby nie zachorować?

A czy widzisz, że to jest właśnie przesada i ekstremalne zachowanie, które zamiast ci pomóc, może ci zaszkodzić?

Gdyby natura chciała, żebyś garściami zjadał pestki z jabłek, to umieściłaby je na krzakach jak jagody albo porzeczki.

Ale pestki z jabłek zawierające amigdalinę zostały umieszczone wewnątrz dużego owocu. Wiesz dlaczego? Żebyś zjadł jedno jabłko i kilka pestek, które się znajdują wewnątrz. Nie więcej.

Rozumiesz?

Czy widzisz różnicę?

Natura podaje ci po trochu wszystkiego, czego potrzebujesz i tylko w takich ilościach, jakie są dla ciebie dobre.

A człowiek od razu chce to zamienić na hurtowe ilości masowej produkcji. I zależy mu głównie na tym, żeby było dużo, szybko i tanio.
Nieważne czy zdrowo i czy skutecznie. Byle dużo i tanio. No i serio.

Czy naprawdę myślisz, że to jest dobre?

Kiedy jesz jabłko, zjedz całe. Razem z pestkami.
Jeśli masz ochotę na jedno, zjedz jedno. Jeśli masz ochotę na trzy jabłka, śmiało, zjedz trzy. Ale nie po to, żeby zaopatrzyć się w amigdalinę, tylko dlatego, że masz na nie apetyt. Bo jeśli masz ogromną ochotę na zjedzenie kilku jabłek i zjadasz je z przyjemnością, to znaczy, że akurat tego dnia twój organizm potrzebuje większej dawki wszystkiego, co jest w jabłkach zawarte. Witaminy A, B1, B2, B3 i wielu innych.

Celowo nie chcę ich wymieniać, bo moim zdaniem to nie ma sensu.

Nie chodzi o to, żebyś zjadł jabłko dlatego, że coś zawiera.
Zjedz je wtedy, kiedy masz na nie ochotę.
Słuchaj swojego organizmu. On najlepiej wie jakich witamin potrzebujesz i w jakich ilościach.

To właśnie w taki sposób twój organizm jest sprzężony z naturą, z której wszyscy pochodzimy. Wszyscy – łącznie z żyrafami, stokrotkami, arbuzami, jabłkami i ludźmi. I wszyscy jesteśmy wzajemnie od siebie zależni. I wszyscy wspieramy siebie nawzajem – pod warunkiem oczywiście, że nikt i nic[1] nam w tym nie przeszkadza.

[1] Czyli żadne syntetyczne substancje z chemicznego laboratorium.

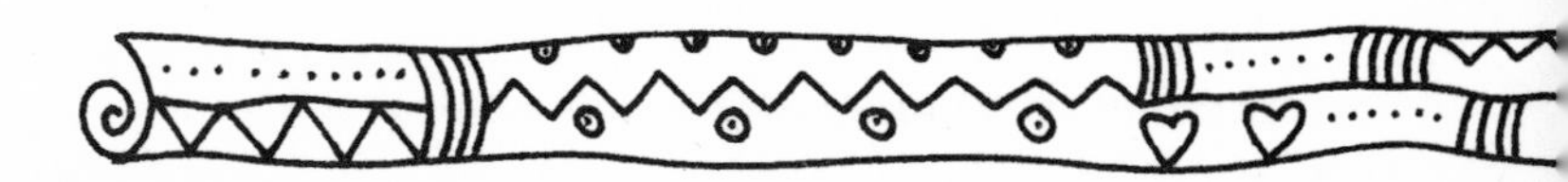

ROZDZIAŁ 7

Natura i my

Niektórzy mówią, że nie mam prawa krytykować cywilizacji, w której się wychowałam. A jeśli widzę rzeczy, które moim zdaniem są nie tylko racjonalnie niepojęte i zdumiewająco idiotyczne, ale i prowadzą do tragedii?

Powiem ci tak.

Wierzę w dobre intencje. Wiem, że nikt nie usiłuje nas świadomie doprowadzić na skraj przepaści. Sami tam biegniemy, zaślepieni blaskiem pieniądza i tego, co można schwytać w ręce, wpakować do szaf i czuć się bogato.

I to jest powód, dla którego nasza zachodnia cywilizacja specjalizuje się w rzeczach tanich, szybkich i bezwartościowych, zupełnie nie zdając sobie sprawy z tego, że samą siebie w ten sposób pogrąża.

Zobacz.

Witamina B17 chroni przed rakiem i leczy nowotwory.

Znajduje się nie tylko w pestkach jabłek.

Jest jej dużo także w pestkach moreli, brzoskwiń, śliwek, nektarynek i wiśni. Jest w bobie i ciecierzycy, w jeżynach, aronii, malinach i truskawkach, w nasionach lnu i sezamu, w ziarnie owsa, prosa, gryki i wielu innych rzeczach.

Czy wiesz, że Indianie w dżungli amazońskiej opracowali genialne sposoby użycia trującej odmiany manioku i potrafią tak odcisnąć z niego część trucizny, że w ich pożywieniu zostaje potrzebna ilość cyjanowodoru z witaminą B17?

Czy wiesz, że kiedyś w Polsce do pieczenia chleba dodawano garść prosa i lnu? Wiesz po co? Myślę, że ludzie na wsi nie znali naukowych powodów. Wystarczyło, że taka była tradycja i odwieczny sposób pieczenia chleba. Dzięki temu cała wioska była chroniona przed rakiem.

Jak myślisz, czy dzisiaj ktoś o tym pamięta?

Chleb robi się z kawałka zamrożonego ciasta, do którego dosypuje się kilkadziesiąt chemicznych substancji, które nadadzą mu sztuczny smak, zapach i wygląd. Nikt ciasta już ręcznie nie wyrabia i nie pozwala mu wyrosnąć, bo przecież trzeba zrobić nie trzy bochenki na godzinę, tylko trzysta. Musi to robić maszyna z najtańszych surowców, bo ten bochenek musi kosztować mniej niż chleb konkurencji.

Tak, oczywiście, są małe piekarnie, gdzie prawdziwy pan piekarz własnymi rękami i sercem tworzy każdy chleb, ale to wyjątek. I w dodatku bardzo drogi, bo pełnowartościowy, zdrowy, naturalny surowiec więcej kosztuje niż tanie chemiczne syntetyki.

Czy wiesz, że kiedyś gospodynie robiły zapasy na zimę z całych owoców razem z pestkami? Tak mówiła tradycja. A czy wiesz, że dzięki tym pestkom cały kompot czy konfitura była pełne witaminy B17 i chroniły ludzi przed chorobami?

Czy wiesz, że kiedyś mięso krów było zdrowe także dlatego, że krowy pasły się na prawdziwej łące, gdzie zjadały trawy zawierające witaminę B17? Teraz mięso dostępne w sklepach pochodzi z przemysłowych hodowli podobnych do obozów koncentracyjnych, gdzie nigdy nie ma słońca, a zwierzęta dostają syntetyczną karmę z antybiotykami. A na pastwiskach – jeśli krowa kiedykolwiek tam trafi – rosną już tylko genetycznie modyfikowane trawy, zaprojektowane przez naukowców w taki sposób, żeby służyły hodowcom bydła, a nie ludziom.

A teraz rozejrzyj się.

Myślisz, że to przypadek, że co trzeci człowiek w naszej cywilizacji jest chory na raka?

Czy teraz rozumiesz dlaczego uważam, że nasza zachodnia cywilizacja stoi na głowie i robi coś, czego w żadnym innym świecie nie było, czyli zabija nas, ludzi? Zabija nas masowo, hurtem, wszystkich naraz, codziennie podsuwając nam tanie, bezwartościowe, śmieciowe jedzenie wyprodukowane w fabrykach żywności, gdzie zdolni naukowcy opracowują receptury chemicznych składników dodawanych w miejsce naturalnych?

Wszyscy gonią za zyskiem.

Kiedyś mięso było zdrowe,
bo krowy pasły się na
prawdziwej łące, gdzie
zjadały zdrowe zioła

Wszyscy chcą, żeby było taniej, bardziej masowo, szybciej i łatwiej. Jednocześnie będzie coraz bardziej chorobliwie i niebezpiecznie, bo ludzie nie tylko umierają na nowotwory i niewydolność serca, ale czasem chwytają też za karabiny i strzelają do siebie bez powodu. Tak, moim zdaniem to jest jedna z konsekwencji zmian zachodzących w ludzkim organizmie – oraz w ludzkim umyśle, który jest jego częścią – na skutek nowoczesnej i taniej chemii dodawanej do żywności.

Naukowcy chcą zmieniać Naturę chociaż nie mają pojęcia czym ona naprawdę jest i w jaki sposób działa.

Kiedyś znano tylko dwie witaminy. Potem odkryto następne. Dzisiaj jest trzynaście opisanych i poznanych witamin. Czy to znaczy, że więcej ich nie istnieje? Ależ skąd. To tylko znaczy, że na razie udało się te trzynaście poznać i opisać. Witamina B17 wciąż oficjalnie nie jest uznana przez naukę. Byłaby więc czternasta.

Jesteśmy naprawdę tylko małymi ludzikami na wielkiej planecie.

Nie wiemy skąd się na niej wzięliśmy ani dlaczego nasze płuca potrafią oddychać. Jesteśmy zależni od tlenu w powietrzu i wody.

Zobacz jaki kruchy jest człowiek. Nie ma naturalnych narzędzi do obrony, szybko umiera z powodu nadmiernego zimna albo nadmiernego gorąca, braku wody, pożywienia i snu.

Nagi człowiek bez ubrania jest bardziej bezbronny niż równie nagi wirus.

Wiesz dlaczego teraz o tym piszę?

Bo nie chodzi o to czy witamina B17 naprawdę istnieje i czy rzeczywiście leczy raka. Nie chodzi o to, żeby sporządzać kolejne zalecenia dotyczące tego co trzeba jeść i w jakiej ilości.

Chodzi o to, że żaden człowiek tak naprawdę tego nie wie. I nie musi tego wiedzieć.

Natura wie to za nas.

I dlatego tak to wszystko jest urządzone w świecie, żebyśmy mieli dokładnie to, czego potrzebujemy.

To znaczy tak było zanim człowiek ze swoim nienasyconym głodem zysku zaczął się wtrącać. Wtedy zatrudnił naukowców z dyplomami i zlecił im opracowanie chemicznych formuł, które mogłyby zastąpić to, co stworzyła natura. Tak powstały syntetyczne witaminy oraz cała bateria chemicznych związków, których zadaniem było usuwanie naturalnych substancji z twojego pożywienia.

Wiesz dlaczego?

Bo naturalne substancje są nietrwałe, szybko się psują, a więc podnoszą koszt produkowania żywności. Przemysł ich nie lubi. Woli sztuczne rzeczy, które można łatwo pakować, przechowywać i transportować.

Teraz rozumiesz?

Jak myślisz dlaczego powstają rośliny modyfikowane genetycznie? Żeby było zdrowiej dla ciebie? No błagam, naprawdę w to wierzysz?

Rośliny są modyfikowane genetycznie, żeby taniej i bardziej masowo można było z nich produkować to, co ktoś chce tanio i masowo sprzedać.

Rozumiesz?

Myślisz, że ci naukowcy są jasnowidzącymi mędrcami, którzy mają zdolność przewidzenia konsekwencji genetycznego modyfikowania roślin, które nastąpią za pięćdziesiąt lat?

Halo, obudź się!

Większość naukowców to pracownicy naukowych firm. Firma dostaje zlecenie i zarabia na jego wykonaniu. To jest tak samo jak z pracownikiem, który stoi przy taśmie produkcyjnej nafaszerowanej chemią czekolady. Myślisz, że on zastanawia się nad tym w jaki sposób syrop glukozowo-fruktozowy, syntetycznie rafinowany tłuszcz kakaowy, cukier i serwatka w proszku będą wpływały na twoje zdrowie? Jak cię roztyją, osłabią i uzależnią? No coś ty.

Przyszłość świata znajduje się w rękach ludzi takich samych jak ty. Oni też zaciągają kredyty, żeby kupić lepszy samochód, też łapią grypę i mają kłopoty w małżeństwie.

Wiem, że wygodniej jest przyjąć, że ktoś mądry się o nas troszczy. Ale moim zdaniem tak nie jest.

Zresztą gdyby tak było, to nie mielibyśmy dzisiaj epidemii chorób, nie byłoby już wojen i pół świata nie cierpiałoby z głodu podczas gdy drugie pół cierpi na otyłość wywołaną przez chemiczne dodatki do masowo produkowanej żywności.

Prawda?

Więcej na ten temat pisałam w poprzednich książkach z tej serii. Teraz chcę powiedzieć tylko tyle:

Nieważne ile miligramów jakiej witaminy jest ci podobno potrzebne.

Prawdziwa recepta na zdrowie znajduje się w twojej głowie. Czyli w centrum zarządzania twoim organizmem. Naucz się go słuchać.

Szukaj prostych, prawdziwych, naturalnych rzeczy, nie zmienionych przez człowieka.

Przyrządzaj z nich proste, ciepłe potrawy, a jeśli masz ochotę – zjedz na surowo.

Pytaj siebie na co masz apetyt i słuchaj swojego organizmu.

Zjedz jabłko zamiast pić sok jabłkowy z kartonu.

Ugotuj zupę z warzyw zamiast z proszku.

Sięgnij po marchewkę albo suszone daktyle zamiast cukierków.

ROZDZIAŁ 8

Królowa kasz

– Naprawdę? – Renata uśmiechnęła się uprzejmie, ale widziałam, że nie może powstrzymać grymasu niechęci. – Codziennie?

– Tak, codziennie rano gotuję owsiankę z kaszą jaglaną – potwierdziłam z zapałem.

– I to jest dobre? – zapytał ktoś z wahaniem.

– Pyszne! – odrzekłam od razu i uczciwie.

– No nie wiem – Renata znów lekko się skrzywiła. – Ja nie lubię kaszy jaglanej.

– W tej owsiance kasza jest prawie niewyczuwalna.

Pokręciła przecząco głową, a z jej twarzy nie schodził wyraz niesmaku. No, ale różni ludzie lubią różne rzeczy i jeśli ktoś nie lubi kaszy jaglanej, to nie będę go namawiać, żeby zmienił gust. Myślałam, że skończyliśmy już ten temat, ale Renata nagle powiedziała:

– Próbowałam kiedyś zrobić sobie dietę oczyszczającą kaszą jaglaną i to była jedna z najgorszych rzeczy, jakie pamiętam.

– Dietę oczyszczającą? – zapytałam i teraz ja chyba trochę się skrzywiłam, bo nie mam zaufania do takich wynalazków.

Zawsze instynktownie czułam, że zmuszanie swojego organizmu do czegoś nienaturalnego nie jest dla niego dobre. Dlatego chociaż sama też próbowałam kiedyś różnych diet, szybko je porzucałam. Szczególnie te, które kazały stosować głodówki albo liczyć kalorie, albo gotować skomplikowane dania z dziwnych rzeczy (takich jak na przykład topinambur, jarmuż albo salsefia) i na dobitkę podawały składniki w liczbie gramów. Trzydzieści gramów sezamu? Jezu, ile to może być??? Od razu widać, że ten przepis pisał ktoś, kto nigdy sam tego we własnej kuchni nie gotował, bo komu by się chciało na co dzień odmierzać 15 dag marchwi? Ja gotuję codziennie i wiem, że marchewki liczy się na sztuki, siemię lniane na łyżki, a wodę na szklanki. Tak jest najprościej.

Nie ufałam też dietom, które wydawały mi się z logicznego punktu widzenia nieracjonalne, na przykład przez pięć dni w tygodniu jedz zdrowo, a przez dwa możesz jeść słodycze i fast food. Dla mnie to była sprzeczność. Zdrowe jedzenie reguluje organizm i pozwala mu odzyskać jego wewnętrzną, naturalną moc. Jeżeli przez pięć dni karmię swoje ciało dobrym jedzeniem, to dlaczego miałabym przez dwa następne dni zepsuć to, co udało mi się uzyskać wcześniej?

Nie lubiłam też diet, które zmuszały do jednostronnego odżywiania. Na przykład kazały walczyć z węglowodanami.

Każda, nawet zdrowa
i wartościowa rzecz
straci swój urok jeśli
będziesz jej nadużywał

Inne kazały walczyć z tłuszczem. Inne kazały jeść tylko białko. No, ale błagam. Organizm do pełnej i trwałej równowagi potrzebuje wszystkiego po trochu. Oczywiście tylko zdrowego wszystkiego. Śmieciowe jedzenie jest bezwartościowe, więc niepotrzebne.

No i diety oczyszczające. Na przykład pij tylko soki z owoców przez cały dzień. Albo jedz tylko sałatę. Wydaje mi się, że to nie jest zdrowe. Gdyby zdarzyło się tak, że na skutek splotu okoliczności jedynym dostępnym pożywieniem są owoce, to inna historia. Umysł i ciało są świadome tego, że taka jest konieczność i nie ma innego wyjścia. Przechodzą wtedy w stan obrony przed potencjalnym zagrożeniem i mobilizują się, żeby przetrwać potencjalnie niebezpieczną sytuację.

Bo przecież jeżeli nie dostarczasz regularnej porcji wszystkich potrzebnych składników odżywczych, organizm odbierze to jako zagrożenie stabilności całego systemu. Przejdzie więc w stan podwyższonej gotowości na ewentualną obronę życia. To znaczy, że zareaguje stresem i zacznie wydzielać takie hormony, jakich na co dzień w spokojnych okolicznościach nie używa.

Być może to zwiększone wydzielanie hormonów stresu przyśpieszy metabolizm, dzięki czemu rzeczywiście zwiększone zostanie wypłukiwanie toksyn – pod warunkiem dostarczenia odpowiedniej ilości płynów – ale jednocześnie moim zdaniem na dłuższą metę to jest osłabianie naturalnej mocy organizmu.

Po co zmuszać go do przeżywania stresu kiedy on nie jest konieczny? Po co sprawiać wrażenie, że nagle zostały odcięte dostawy pożywienia? I nie wiadomo kiedy powrócą, bo przecież taka głodówka trwa nie trzy godziny, ale kilkadziesiąt?

Moim zdaniem trzeba się opiekować swoim organizmem zamiast zmuszać go do gwałtownej akcji na skutek stresu i fałszywego alarmu.

Dlatego nie stosuję głodówek, ale bardzo dbam o to, żeby codziennie przez cały rok karmić się tylko zdrowym, pełnowartościowym jedzeniem. No i wracam do kaszy.

– To była taka dieta oczyszczająca – roześmiała się Renata – że przez trzy dni jadłam tylko kaszę jaglaną.

– Tylko???

– Tylko! To miało oczyścić nerki, wątrobę, krew i w ogóle. Wytrzymałam dwa dni. Boże, jakie to było niedobre!

– Tylko kasza jaglana? – powtórzyłam. – Ale w jakiej postaci? Gotowana?

– Gotowana w wodzie, bez żadnych dodatków. No, można było dodać odrobinę soli, ale to i tak nic nie pomogło. Jakie to było ohydne! Zjadłam trochę na śniadanie, potem znowu trochę na drugie śniadanie, potem trochę na obiad i już nie mogłam patrzeć na tą kaszę!

Wszyscy zaczęliśmy się śmiać.

I zobacz.

Gdybyś wziął coś, co najbardziej lubisz – na przykład czekoladę albo dojrzałe, słodkie śliwki albo na przykład buraczki, które uwielbiasz do obiadu – i przeszedłbyś na dietę czekoladową, śliwkową albo buraczkową, polegającą na tym, że jesz tylko to przez kilka dni, to też byś to znienawidził. Już pierwszego dnia wieczorem czułbyś, że jest ci niedobrze na myśl o jeszcze jednej porcji czekolady, śliwek albo buraczków – mimo że przecież to było wcześniej twoje ulubione danie!

Wiesz dlaczego tak jest?

Bo twój organizm informuje cię w ten sposób o tym, że jednostajne, zawsze takie samo jedzenie nie jest dla ciebie dobre. Dlatego nagle tracisz ochotę na coś, co kiedyś lubiłeś – ponieważ lubiłeś to tylko w niewielkich ilościach albo jako dodatek.

I tak samo jest z kaszą jaglaną.

Jest fantastyczna, pyszna i zdrowa, ale nie chciałabym jej jeść trzy razy dziennie przez cały rok.

Bo każda, nawet zdrowa i smaczna rzecz, straci swój urok i zdrowotne właściwości jeśli będziesz jej nadużywał.

Mądra dieta polega na tym, żeby jeść niewielkie ilości jak najbardziej różnych potraw z urozmaiconych składników. Oczywiście tylko takich, które są pełnowartościowe i nieprzetworzone chemicznie.

A kasza jaglana to królowa wszystkich kasz.

ROZDZIAŁ 9

Przygody jaglanej kaszy

Wiesz jak to było z ludźmi?

Podobno mniej więcej dwa miliony lat temu pojawił się *homo habilis,* czyli „człowiek zręczny", uważany za najstarszego przodka dzisiejszego współczesnego *homo sapiens,* czyli „człowieka myślącego".

„Człowiek zręczny" zaczął używać pierwszych prostych narzędzi z kamienia. Potem stopniowo coraz mniej podpierał się rękami podczas chodzenia, aż wreszcie przyjął sylwetkę wyprostowaną. To było mniej więcej trzysta tysięcy lat temu. Ten właśnie *homo erectus* (czyli „człowiek wyprostowany") rozwijał się, ewoluował i stał się w końcu „człowiekiem myślącym". Działo się to w paleolicie, czyli epoce kamienia łupanego.

Ludzie w tym czasie zajmowali się polowaniem i zbieraniem tego, co znaleźli w naturze.

Dwa miliony lat temu
na Ziemi pojawił się
„homo habilis", czyli
„człowiek zręczny".

Ale potem coś się zaczęło zmieniać. Ludzie już nie polegali tylko na tym, co podsuwała im przyroda. Postanowili sami zadbać o to, żeby coś mieć. Zaczęli uprawiać rośliny. To było mniej więcej dziesięć tysięcy lat temu w neolicie zwanym też epoką kamienia gładzonego.

A wiesz dlaczego o tym piszę?

Bo jedną z pierwszych rzeczy, jakie zaczęli uprawiać ludzie na świecie, było proso. To samo proso, z którego robi się kaszę jaglaną.

Najpierw w Azji i Afryce, potem też na innych kontynentach. Chińczycy jedli kaszę jaglaną zanim zaczęli uprawiać ryż. Jedli ją też starożytni Rzymianie, Babilończycy, Egipcjanie, Grecy, Arabowie, Etruskowie i poddani dzielnego Czyngis-Chana. W Polsce też na co dzień jadano jagły albo krupy, czyli kaszę jaglaną. W Starym Testamencie w Księdze Ezechiela zaleca się dodawać prosa do pieczenia chleba.

I tak ludzie robili. Nie musieli wiedzieć jakie ma witaminy, jakie pierwiastki, że jest zasadotwórcza, oczyszcza organizm i tak dalej. Kasza jaglana była po prostu dobra, naturalna i zdrowa.

Potem świat zwariował na punkcie łatwych, szybkich dań z supermarketu. Najlepiej takich, które można było wrzucić do mikrofalówki albo piekarnika i wyjąć gotowe do zjedzenia. Nikt się nie zastanawiał dlaczego taka potrawa może tygodniami leżeć w sklepie i dlaczego ma dziwny posmak, jakby zupełnie inny od prawdziwego jedzenia. Najważniejsze było to, że jest gotowe do kupienia i tanie. Wygodne. A czy zdrowe?

Dopiero teraz widać, że niekoniecznie. Bo gdyby było zdrowe, to nie mielibyśmy epidemii chorób powalających prawie wszystkich ludzi w naszej cywilizacji. Mielibyśmy fantastycznie zdrowych, silnych ludzi, którzy są w pełni sprawni zarówno fizycznie, jak i umysłowo.

Masz wątpliwości? Myślisz, że przesadzam?

Zobacz w jaką stronę poszedł świat. W mechaniczny system, gdzie każdy człowiek ma numer, certyfikat i procedury postępowania. Codziennie pojawiają się nowe dyrektywy, ustawy i rozporządzenia, które mówią ci co masz robić i w jaki sposób. Stajesz się stopniowo coraz bardziej niewolnikiem przepisów, kredytów i narzędzi, które stopniowo coraz bardziej ograniczają twoją umiejętność myślenia, kreatywność i samodzielność.

Naprawdę myślisz, że to jest dobra droga?

Nie wydaje ci się, że byłoby lepiej gdyby ludzie byli zdrowi, silni i mądrzy? A jednocześnie z tą mądrością mieliby najzwyczajniejszą w świecie instynktowną chęć bycia uczciwym i dobrym?

No właśnie.
Moim zdaniem to wszystko zależy także od tego czym żywisz swój mózg na co dzień. Niezdrowe jedzenie niszczy cię od środka. Niszczy twoje ciało, ale niszczy też twoją wrażliwość, umiejętność myślenia, chęć do życia, wewnętrzną moc.
Nie będę cię przekonywać.

Sam spróbuj zmienić sposób odżywiania się, a zobaczysz jak zmieni się twoje samopoczucie.

Kasza jaglana jest świetna.
Można ją jeść na wiele różnych sposobów.
Ja codziennie rano gotuję owsiankę z kaszą jaglaną, siemieniem lnianym i dodatkiem rodzynek, suszonych daktyli i fig. To pyszne, słodkie, sycące, a jednocześnie bardzo lekkie danie. Nie wygląda jak nieapetyczna kleikowa papka, bo wystarczy odparować nadmiar wody, czyli gotować około dwudziestu minut. W garnku zostaje sympatyczna, żółta, skwiercząca, pysznie pachnąca potrawa, która nie jest ani za mokra, ani zbyt sucha. Ważne jest też to, żeby używać zwykłych, grubych płatków owsianych.
Przepis na tę owsiankę zamieściłam w co najmniej trzech książkach: „Na zdrowie. 15 zdrowych przepisów na dobry początek", „W dżungli życia" oraz „Moje zdrowe przepisy".

Na początku wydawało mi się, że kasza jaglana jest mdła i szybko się rozgotowuje. Wolałam sięgnąć po kaszę gryczaną albo jęczmienną, ale pewnego dnia stanęłam w kuchni i zaczęłam się zastanawiać.

Kaszę gryczaną gotowałam wczoraj. Na jęczmienną nie miałam ochoty. Na soczewicę też nie. Nie namoczyłam poprzedniego wieczoru żadnych suchych strączkowych – ani fasoli, ani ciecierzycy, więc nie miałam właściwie żadnej bazy do zrobienia szybkiego jedzenia.

Hm, hm, hm...
Otworzyłam szufladę, w której trzymam kasze.

– A gdyby tak?... – pomyślałam patrząc na torebkę z żółtymi kuleczkami. – A gdyby tak ugotować tę kaszę inaczej? Nie sugerować się tym, że używam jej zwykle do gotowania na słodko, tylko po prostu spróbować zrobić z niej coś zupełnie nowego?

Opłukałam pół filiżanki kaszy. Miałam świeży zielony groszek w strączkach. Dodałam trochę pomidora, naci pietruszki, pieprz, ziele angielskie, liść laurowy i pół łyżeczki kminku. Ach, jakie to było pyszne!!!

Tak odkryłam drugą twarz kaszy jaglanej. Nie tylko deserową i słodką, ale też codzienną, zwyczajną, która może świetnie zastąpić ryż albo ziemniaki. Dla urozmaicenia, oczywiście, bo w ziemniakach ani w brązowym ryżu nie ma niczego złego.

To był pierwszy krok, za którym szybko poszły następne.

Kaszę jaglaną można dodawać do wszystkich farszów – na przykład do nadziewania papryki, ziemniaków, pomidorów i oczywiście do gołąbków. Jeśli do tej pory robiłaś gołąbki i faszerowaną paprykę z białym ryżem, to przypomnę ci, że biały ryż jest biedniutkim krewnym brązowego ryżu, któremu zabrano 95% ważnych i zdrowych składników, które przeszkadzały producentom żywności w transporcie i przechowywaniu. To znaczy, że biały ryż jest w gruncie rzeczy śmieciowym jedzeniem, bo oprócz skrobi nie zawiera właściwie niczego więcej. Brązowy ryż jest świetny, ale długo się gotuje – mniej więcej czterdzieści minut. Jeżeli więc szukasz czegoś, co jest zdrowe, pełnowartościowe i szybkie, i może zastąpić biały ryż, to spróbuj sięgnąć po kaszę jaglaną.

Jeżeli chcesz, żeby kasza miała bardziej intensywny smak i nie skleiła się, tylko została w całych ziarenkach, wystarczy ją najpierw lekko uprażyć. Wsyp kaszę do suchego garnka albo na patelnię i podpiekaj ją na niewielkim ogniu, przez cały czas mieszając. Kiedy będzie lekko brązowa i mocno pachnąca, zalej ją gorącą wodą w ilości dwukrotnie większej niż ilość kaszy. Doprowadź do wrzenia, przykryj i gotuj na małym ogniu przez mniej więcej dwadzieścia minut – aż kasza wchłonie wodę i spęcznieje.

Tak ugotowaną kaszę możesz podać do drugiego dania, a jeśli trochę ci jej zostanie, można z niej zrobić pyszną sałatkę – na przykład taką, którą następnego dnia zabierzesz do pracy na drugie śniadanie. Wystarczy wziąć trochę zielonej sałaty, pokroić ulubione surowe warzywa, dodać ugotowaną, ostudzoną kaszę jaglaną i trochę świeżych ziół – na przykład naci pietruszki, koperku albo kolendry. Surowych warzyw niezbyt dużo, niech to raczej będzie kasza z warzywami niż warzywa z kaszą. Wstaw do lodówki na noc, a następnego dnia zabierz ze sobą do pracy. I już jej nie schładzaj, tylko zjedz w temperaturze pokojowej.

Jeżeli pieczesz ciasta, świetnie możesz część mąki zastąpić mąką jaglaną. Wiesz jaka pyszna jest szarlotka na spodzie z mąki jaglanej? Albo jakie pyszne są ciastka z dodatkiem ugotowanej kaszy jaglanej, mąki jaglanej albo płatków jaglanych?

To samo dotyczy chleba. Jeżeli pieczesz chleb, zrób go z mąką jaglaną. Nadaje mu znakomitą konsystencję i lepkość. A poza tym jest równie fantastycznie zdrowa.

Z kaszy jaglanej można też zrobić pilaw z dodatkiem drobno posiekanych warzyw, ugotować ją z dodatkiem czerwonej fasoli albo dodać do naleśników i racuchów. Sposobów użycia kaszy jaglanej jest naprawdę mnóstwo, użyj swojej wyobraźni. Kilka przepisów na proste i szybkie przepisy z kaszy jaglanej zamieściłam w książce „Moje zdrowe przepisy", czyli w drugim tomie tej serii.

A teraz jeszcze garść faktów potwierdzonych przez naukę.

Kasza jaglana nie zawiera glutenu.
Jest lekkostrawna i pożywna.

Ma właściwości antywirusowe, czyli wspomaga twój organizm w walce z niepożądanymi i groźnymi wirusami. Przypomnę, że antybiotyki działają tylko na bakterie, a nie na wirusy i jak dotąd nie wynaleziono leków antywirusowych.

Pomaga przywrócić naturalną równowagę organizmu.

Oczyszcza z toksyn.

Zawiera dużo krzemu, który wzmacnia stawy, skórę, włosy i paznokcie.

Reguluje poziom cholesterolu.

Wzmacnia pamięć i wspomaga umysł, ułatwia koncentrację.

Zawiera wiele witamin, łącznie z witaminą B17, która podobno nie tylko chroni przed rakiem, ale i go leczy.

ROZDZIAŁ 10

Rajd przez dżunglę

Kilka lat temu wzięłam udział w rajdzie *Rainforest Challenge* w Malezji. Jego nazwę można przetłumaczyć jako „Wyzwanie w dżungli" albo „Zmagania z dżunglą" lub coś podobnego. Naprawdę było trudno. Przez cały czas lał deszcz, ziemia zamieniła się w lepkie, czerwone błoto, w którym grzęzły samochody i ludzie. Cieszyły się tylko dżunglowe pijawki, które tysiącami przybywały na nasze spotkanie. W pierwszej chwili nawet ich szeroko otwarte paszcze odebrałam jako serdeczne uśmiechy, dopiero później się zorientowałam, że są po prostu głodne i złaknione świeżej krwi[2].

Na rajd przyjechały ekipy z całego świata. Trzeba było mieć własny, specjalnie przygotowany samochód, który

---

[2] Napisałam o tym rajdzie w książce „Blondynka tao", wyd. National Geographic 2005.

odpowiednio wcześniej pakowano do kontenera i wysyłano w długą drogę statkiem. Miało to jednak swoje dobre strony, bo razem z samochodem można było wysłać zapasy jedzenia.

Zazwyczaj podczas wypraw przez dżunglę nie mam żadnego europejskiego jedzenia. Wędruję z Indianami i jem to, co oni jedzą na co dzień – maniok, mrówki, piranie, zupę z małpy, żywe larwy. Konserwy w puszkach, ryż albo cukier? O nie, to nie miałoby sensu! Wędrówka przez dżunglę jest tak trudna i wymagająca nieustannej sprawności, czujności i szybkiego refleksu, że bagaż najlepiej ograniczyć do minimum. Im lżejszy, tym lepiej. Nigdy więc nie zabieram zapasów jedzenia.

W Malezji było inaczej. To nie piesza wędrówka, tylko przeprawa terenowymi samochodami, w dodatku ze specjalnymi odcinkami do pokonania w jak najkrótszym czasie. Tak, to były wyścigi, ale ponieważ w dżungli jest bardzo ciasno – bo rośnie tam dużo drzew – to samochody ścigały się pojedynczo. Konwój zatrzymywał się, rozbijaliśmy obozowisko, a następnego ranka wszyscy po kolei startowali w odcinku specjalnym, czyli na naturalnym torze przeszkód, gdzie było na przykład śliskie urwisko, rwąca rzeka, droga przecięta zwalonym drzewem i podobnymi atrakcjami, które trzeba było pokonać.

Krótko mówiąc – nikt nie miałby tam czasu na polowanie ani szukanie pożywienia w puszczy. Sklepów nie było. Restauracji też nie. Tylko zielona, wilgotna, dziewicza Dżungla Dinozaurów, uważana za jedną z najstarszych dżungli na świecie.

Rajd samochodami terenowymi przez dżunglę w Malezji

Dlatego musieliśmy zabrać zapas jedzenia.

Każda ekipa robiła to na własną rękę. Chińczycy codziennie jedli zupę z makaronem. Dziewczyna z Argentyny zawsze zaczynała od zaparzenia yerba mate, czyli rodzaju południowoamerykańskiej ziołowej herbaty. Amerykanie mieli torebki z suchym liofilizowanym jedzeniem, które wystarczy zalać wrzątkiem, żeby spęczniało i nabrało smaku. Mieli nawet liofilizowaną jajecznicę i gulasz.

A my mieliśmy nasze polskie zapasy.

Pewnego dnia wieczorem ugotowałam kaszę gryczaną. Nic specjalnego. W naszej skrzyni z żywnością mieliśmy kilka torebek różnych kasz. Mieliśmy też specjalny wojskowy chleb w puszkach i kawę zbożową, które budziły zdumienie wśród egzotycznych ekip, ale kiedy ugotowałam kaszę gryczaną, do naszych namiotów zbiegło się pół obozowiska.

– Co to jest? Co to jest? – dopytywali się zaciekawieni. – Co tak cudnie pachnie?

Podniosłam pokrywkę.

– Co to jest? – wołali jeszcze bardziej zdumieni Kanadyjczycy.

– Kasza – odpowiadałam, usiłując odszukać w pamięci angielskie słowo „gryka".

– Kasza?... – powtarzali i kręcili głowami w zachwycie.

– *Buckwheat!* – przypomniałam sobie w końcu.

– *Buckwheat?* – powtarzali po mnie, ale z ich min domyśliłam się, że jest to dla nich słowo równie obce jak polskie „gryczana".

Tym bardziej, że angielska nazwa sugeruje, że gryka ma coś wspólnego z pszenicą, a jest dokładnie odwrotnie. *Wheat* to pszenica. *Buck* to słowo o wielu znaczeniach, może się odnosić do Indianina, dolca (czyli slangowego określenia dolara), a nawet kosza do łowienia ostryg. W tym przypadku prawdopodobnie chodzi o „indiańską pszenicę", chociaż w rzeczywistości wcale nie jest to ani pszenica, ani jedzenie wynalezione przez Indian.

Tak czy inaczej, była to rzecz kompletnie nieznana zarówno Amerykanom, jak i Kanadyjczykom, nie mówiąc już o ekipach z Ameryki Południowej, Afryki i Azji. Jedyni kierowcy, dla których zapach kaszy gryczanej nie był żadnym zaskoczeniem, pochodzili z Rosji.

Im dłużej gotowałam kaszę, tym dalej jej zapach wędrował w głąb malezyjskiej dżungli. Nadciągały pielgrzymki ze wszystkich obozowisk.

– Co to jest? Co to jest? – pytali z ciekawością.

Częstowaliśmy ich więc zwykłą, polską kaszą gryczaną, która w mokrej, pełnej pijawek Dżungli Dinozaurów smakowała niebiańsko. Była gorąca, treściwa i pyszna. Po prostu fantastyczna.

Pomyślałam wtedy:

– Ach, jakie to niezwykłe! Jesteśmy wyjątkowym krajem, w którym występuje ta niezwykła kasza!

I długo wydawało mi się, że kasza gryczana to polska, rosyjska i litewska specjalność, raczej niedostępna innym narodom.

Aż pewnego dnia odkryłam zdumiewający fakt.

ROZDZIAŁ 11

Kasza gryczana

Kasza gryczana pochodzi z Chin! Nie mam na myśli masowej produkcji kaszy w XXI wieku, tylko jej prawdziwy rodowód. To wcale nie jest nasz słowiański wynalazek. Kasza gryczana dotarła do Europy długo po tym jak poznano ją i zaczęto uprawiać grykę w prowincji Junan w południowo-zachodnich Chinach. Podobno było to w roku 6000 p.n.e., czyli ponad osiem tysięcy lat temu!

Ludzie podróżowali. Zabierali ze sobą kaszę albo częstowali nią podróżnych przybyłych z daleka. I tak zwyczaj jedzenia kaszy gryczanej – razem z nasionami gryki – z Chin przedostał się do środkowej Azji i do Tybetu. Stamtąd na Bliski Wschód i do Europy. Najwcześniej podobno pojawił się w Finlandii i w Grecji. I zdaje się, że właśnie z tego ostatniego kraju pochodzi rosyjska i nasza polska nazwa kaszy, bo po rosyjsku nazywa się *гречиха*, czyli „grieczycha" – jako coś, co przybyło z Grecji, a dokładniej – z Bizancjum, czyli średniowiecznego Cesarstwa Wschodniorzymskiego ze stolicą w Konstantynopolu.

Tak samo jak świeże warzywa, które zostały nazwane „włoszczyzną", bo przywiozła je do Polski królowa Bona z Włoch.

I tak pewnie ze słowa *grieczycha* powstała nasza gryczana.

Ale ludzie wciąż podróżowali.

Europejczycy zaczęli przeprawiać się na drugą stronę oceanu. I co ze sobą zabierali? Oczywiście, zapas jedzenia i nasion, żeby można było posadzić na obcym polu coś znajomego i ulubionego. Tak właśnie gryka dotarła do Ameryki.

A teraz najbardziej zdumiewający fakt.

Kasza gryczana była znana i jedzona prawie na całym świecie. Do czasu, kiedy zaczęto na masową skalę używać nawozów azotowych i prowadzić naukowe eksperymenty, które miały „poprawić naturę".

Dlaczego naukowcy to robią? Po co zmieniają rośliny genetycznie albo sztucznie je krzyżują? Tylko w jednym celu.

W naszej cywilizacji nazywa się to „zwiększeniem plonów z hektara". W praktyce oznacza to: zarobić więcej pieniędzy.

Ile razy słyszałeś triumfalne informacje o tym, że udało się zwiększyć plony z hektara? I że teraz będzie nam lepiej, bardziej bogato, bo będziemy mieli więcej tego, czego chcemy mieć?

My szczęściarze wciąż
mamy naszą
cudowną Kaszę! :)

Nikt nigdy głośno nie powiedział, że „zwiększenie plonów z hektara" oznacza jednocześnie to, że człowiek różnymi metodami zmusza naturę do nienaturalnego zachowania. Myślisz, że to będzie dla nas zdrowe? Ja jestem przekonana, że nie.

Zresztą są na to dowody.
Zobacz.

Czego uprawia się teraz najwięcej? Pszenicy i kukurydzy. Wiesz dlaczego? Bo w tych dwóch roślinach zrobiono sztucznie wielkie zmiany – po to, żeby szybciej rosły, były mocniejsze, bardziej odporne na choroby. Wiem, że teoretycznie to brzmi atrakcyjnie, bo przecież lepiej mieć duże zbiory niż małe, prawda? Chodzi jednak o to, jaką cenę płaci się za bujność tych zbiorów.

Człowiek nie jest w stanie przewidzieć daleko idących konsekwencji zmian w zapisie genetycznym. Nawet jeżeli jest naukowcem i uważa, że wie. W rzeczywistości nie wie. Z dwóch powodów. Po pierwsze dlatego, że nie jest Bogiem, a po drugie dlatego, że nie potrafi objąć swoim umysłem wszystkich zależności, jakie istnieją pomiędzy zapisem genetycznym w roślinie a komórkami w ludzkim organizmie.

Krótko mówiąc: najważniejsze było to, żeby szybko zarobić.

Kukurydza genetycznie zmieniona i pędzona na sztucznych nawozach rosła jak szalona. Teraz robi się z niej mnóstwo rzeczy, takich jak choćby syrop glukozowo-fruktozowy, który jest tańszym – i znacznie bardziej niezdrowym – zamiennikiem dla cukru. Robi się z niej oleje roślinne i wiele innych chemicznie modyfikowanych dodatków do żywności, które niszcząco działają na twój organizm.

Z pszenicą było tak samo.

Kiedyś pszenica była szlachetnym zbożem, które dostarczało ludziom potrzebnych składników – takich, jakie sam Bóg w niej umieścił, żeby wspierało ludzkie życie.

Potem ludzie zaczęli się bawić w Boga. Zaczęli naruszać wewnętrzne, boskie zapisy w komórkach pszenicy, żeby zmusić ją do wyścigu w bitwie o plon. Czyli w bitwie o kasę.

Współcześnie uprawiana pszenica nie ma nic wspólnego z tym zbożem, z którego kiedyś pieczono zdrowy, domowy chleb.

Domyślasz się już dlaczego na świecie uprawia się coraz mniej gryki?

Gryka była oporna na zmiany.
Nie chciała rosnąć na syntetycznych nawozach. Trudno było ją zmieniać genetycznie i zmuszać do nienaturalnego zachowania. I dlatego zamiast gryki masowo zaczęto uprawiać sztucznie modyfikowane kukurydzę i pszenicę.

I dlatego świat wygląda tak, jak wygląda. W Stanach Zjednoczonych trzy czwarte ludzi cierpi na chorobliwą otyłość. Bo zamiast jeść zdrową kaszę gryczaną przerzucili się na białe bułki z genetycznie modyfikowanej pszenicy i colę słodzoną syropem glukozowo-fruktozowym z genetycznie modyfikowanej kukurydzy.

A my, szczęściarze, wciąż mamy naszą cudowną kaszę ☺

ROZDZIAŁ 12

Kotlety i sałatki

Kasza gryczana w rzeczywistości wcale nie jest brązowa. I nie jest też zbożem jak inne kasze. Należy do roślin rdestowatych, czyli jest bliżej spokrewniona z rabarbarem niż z prosem, ale mniejsza z tym.

Najważniejsze jest to, że kasza gryczana w naturze jest prawie biała. I tak właśnie wygląda kasza niepalona, którą można kupić w sklepach ze zdrową żywnością. Brązowa kasza gryczana jest w przemysłowy sposób prażona i traci wtedy połowę swoich wartości. Jest wciąż fantastycznie zdrowa, ale mniej niż jasna kasza niepalona.

Jest też kasza zapakowana w torebki do gotowania. Odradzam ten sposób, bo trzeba wtedy nalać do garnka znacznie więcej wody, a im więcej wody nalejesz, tym mniej składników odżywczych zostanie w kaszy. Poza tym jeśli przyrządzasz sobie zdrowy posiłek, to nie gotuj kaszy razem z plastikiem.

Mój ulubiony przepis na kaszę gryczaną to kasza z brokułami z dodatkiem prostych przypraw, naci pietruszki i pomidora

I jeszcze jedno. Rozdrobniona kasza gryczana jest sprzedawana jako kasza krakowska. Wygląda bardzo podobnie do jęczmiennej. Kaszą krakowską na słodko z rodzynkami zajadała się podobno królowa Anna Jagiellonka.

Zwracam tylko twoją uwagę na fakt, że im bardziej coś jest rozdrobnione, przerobione i zmienione w fabrykach żywności, tym mniej zawiera wartościowych, naturalnych składników. Dlatego zwykła kasza gryczana w całości na pewno będzie lepsza i zdrowsza od dodatkowo połamanej kaszy krakowskiej.

Krótko mówiąc – najzdrowiej jest jeść kaszę niepaloną, ugotowaną w niewielkiej ilości wody. Jeśli chcesz, możesz tę jasną kaszę sama trochę uprażyć w suchym garnku, wtedy będzie miała bardziej intensywny smak.

Ja osobiście uwielbiam kaszę gryczaną. Moja mama robiła ją na sypko z sosem grzybowym i bitkami wołowymi.
Ja nie jem mięsa i nie używam sosów, wymyśliłam więc własne przepisy. Mój ulubiony to kasza z brokułami. Gotowane w jednym garnku, w małej ilości wody, z dodatkiem prostych przypraw, naci pietruszki i drobno pokrojonego pomidora. Oczywiście na gorąco.

Lubię też ugotować kaszę gryczaną i zjeść ją bez żadnych dodatków. Odkryłam to kiedyś podczas przygotowywania jakiegoś skomplikowanego dania. Osobno ugotowałam kaszę, osobno sos z grzybami, osobno surówkę. Spodziewałam się gości. Sos wyszedł świetny. Surówka też. Ale ta gorąca, sypka kasza w garnku była po prostu genialna. Jadłam ją łyżkami.

I teraz kiedy potrzebuję szybko coś zjeść, na przykład kiedy wracam zmarznięta i głodna w jesienny dzień, gotuję wodę w czajniku, wlewam wrzątek do małego garnka, dodaję kilka łyżek kaszy, mieszam i dwadzieścia minut później mam gorące, pyszne, sycące i zdrowe jedzenie.

Do takiej kaszy można dodać trochę migdałów albo łyżeczkę miodu, posypać świeżą kolendrą albo zjeść z ogórkiem małosolnym.

Z kaszy gryczanej można robić świetne nadzienia – do pierogów, naleśników czy gołąbków. Ach! Jadłam kiedyś takie gołąbki z kaszą gryczaną i grzybami. To były najlepsze gołąbki na świecie, słowo honoru.

Do pierogów można zrobić farsz z kaszy gryczanej z grzybami, szpinakiem, nacią pietruszki albo bakłażanem. Dodać odrobinę pieprzu i tymianku albo świeżej kolendry.

Kaszę gryczaną można dodać do zupy zamiast ryżu czy makaronu. Można z niej zrobić pyszne kotlety warzywne – jeśli masz czas bawić się w lepienie kotletów i smażenie ich na patelni. Można też dodać garść ugotowanej kaszy gryczanej do kotletów mielonych – na pewno będą zdrowsze.

Wszystkie twoje ulubione placki i racuchy też można zrobić z mąki gryczanej. Odkryłam to kiedyś w Puszczy Białowieskiej, gdzie w restauracji z lokalnymi przysmakami podano bliny gryczane z łososiem, śmietaną i koperkiem. Jeśli chodzi o dodatki, to dla mnie wystarczył sam koperek.

Bliny to po prostu gryczane racuchy, czyli małe placki, które można jeść na słodko albo na słono. Ważne jest tylko to, żeby podawać je od razu po usmażeniu, bo potem szybko wysychają i stają się twarde.

Kaszę gryczaną gotuje się w proporcji 1:2, czyli na szklankę kaszy potrzebne są dwie szklanki gorącej wody. Jeśli gotujesz bez przykrycia, woda szybciej odparuje i będzie jej za mało. Dlatego lepiej jest przykryć garnek, doprowadzić do wrzenia, zmniejszyć ogień i gotować aż kasza wchłonie wodę. Potem można kaszę dodatkowo wstawić w ciepłe miejsce, żeby „dojrzała". Moja mama zawijała gorący garnek w gazety, a potem w koc albo wstawiała go do skrzyni z pościelą[3]. Ja tego nie robię, bo zwykle nie mam na to czasu. Gotuję i od razu jem.

Pewnie nigdy też nie próbowałeś kaszy gryczanej na zimno. Ja też nie – dopóki nie potrzebowałam wymyślić dla siebie przepisów na takie dania, które mogłabym zjeść następnego dnia w miejscu, gdzie nie ma kuchni.

Zaczęłam komponować sałatki z kasz. Gryczana świetnie się do tego nadaje. Jeżeli jesz nabiał, spróbuj zrobić sałatkę na bazie ugotowanej kaszy gryczanej z dodatkiem koziego sera, ogórka małosolnego, pomidora i świeżej kolendry (pyszne!!!). Jeżeli jesteś weganką (tak jak ja), wystarczy ten sam zestaw bez sera. Kasza gryczana jest też fantastyczna z dodatkiem niewielkiej ilości świeżej rukoli, ogórka i rzodkiewek albo innych warzyw, jakie akurat masz pod ręką.

Dokładne przepisy znajdziesz w książce „Moje zdrowe przepisy", czyli w drugim tomie serii „W dżungli zdrowia".

---

[3] Mam na myśli skrzynię pod tapczanem. Na dzień pościel trzeba było złożyć i umieścić w skrzyni, a wieczorem rozkładało się tapczan i ścieliło do spania.

Kasza gryczana obniża poziom szkodliwego cholesterolu, czyli chroni przed miażdżycą i innymi chorobami serca.

Nie zawiera glutenu.

Ma dużo świetnie przyswajalnego białka, które jest zdrowsze i lżej strawne niż białko z mięsa.

Szybko zaspokaja głód i daje poczucie sytości, chociaż jest lekka i szybko zostaje strawiona, czyli nie zalega w żołądku i jelitach (co wywołuje uczucie ciężkości i zmęczenia).

Obniża ryzyko zachorowania na cukrzycę (według badań nawet o 24%).

Ma dużo naturalnego, zdrowego błonnika, który czyści twój organizm od wewnątrz. W praktyce to oznacza ochronę przed rakiem.

Zawiera też mangan, miedź i magnez, który ma wpływ na dobry nastrój. Zresztą sama spróbuj – zjedz trochę świeżej, gorącej kaszy gryczanej i naprawdę od razu poczujesz się lepiej.

I krzem, który wzmacnia kości, stawy, włosy, paznokcie, skórę i naczynia krwionośne.

I oczywiście różne witaminy policzone przez naukowców, takie jak choćby B1, B2, P i PP. Ale to nieważne.

Najważniejsze jest to, że kasza gryczana zawiera witaminę W i witaminę Ż, czyli witaminę Wszystko i witaminę Życie, czyli ma takie składniki, które są potrzebne twojemu organizmowi do zdrowego funkcjonowania.

Jedz kaszę gryczaną co najmniej raz w tygodniu, a najlepiej częściej.

Szukaj nowych smaków i różnych sposobów jej przyrządzania.

Nawet jeśli uważasz, że nie lubisz kaszy gryczanej, daj jej nową szansę. Być może przestałeś ją lubić dlatego, że była niesmacznie przygotowana albo zawierała syntetyczne dodatki – np. z kostek bulionowych albo gotowych przypraw do zup, które twój organizm słusznie odebrał jako zagrożenie i natychmiast zapisał w twoim umyśle informację, że nie chcesz tej kaszy.

Ale może jednak ją chcesz – wtedy, kiedy będzie pozytywnie i własnoręcznie przez ciebie przyrządzona?

ROZDZIAŁ 13

Wegańskie frytki

Zobacz jaką dziwną moc mają słowa. To, co naprawdę oznaczają, i to, jak są rozumiane, to często dwie zupełnie różne sprawy.

Kiedy mówię, że jestem wegetarianką, zwykle dostaję w odpowiedzi współczujące spojrzenie i pytanie:
– To co, sałata?

Kiedy mówię, że jestem weganką, to patrzą na mnie jak na ufoludka, który robi coś bardzo dziwnego i zapewne robi to z bardzo niejasnych i dziwnych powodów. I znów pada to sakramentalne hasło:
– To co, sałata?
Albo:
– I co, tak tylko sałata?

O rety.

Ludzie już chyba całkiem zapomnieli, że istnieje coś takiego jak kasza, cukinia, fasola czy papryka i kapusta!

Kiedyś usiłowałam wyjaśniać, że w ogóle nie jem sałat i nie jem prawie w ogóle zimnego, surowego jedzenia, ale wtedy patrzyli na mnie jeszcze dziwniej. No coś ty? Nie jesz mięsa? I NIE JESZ SAŁATY??? To co, teraz będziesz się żywiła tylko POWIETRZEM???

Wyjaśniam.

Jestem weganką. Jem prawie wyłącznie gorące potrawy, które nie zawierają mięsa, nabiału ani jajek.

– No to?... – pyta ktoś, kompletnie już skołowany. – To pewnie musisz robić jedzenie z jakichś specjalnych składników? Sprowadzanych z zagranicy?

Zobacz. Ludzie całkiem już zapomnieli, że istnieją takie rzeczy jak kasza, kapusta, cukinia, fasola, ziemniaki, fasolka szparagowa, zielony groszek czy brązowy ryż. Kiedy usiłują sobie przypomnieć coś, co nadawałoby się do zjedzenia dla wegetarian albo wegan, natychmiast proponują miskę zielonej sałaty. Bo wydaje im się, że wegetarianie to tacy ludzie, którzy chcą się umartwić za pomocą smutnego, zimnego jedzenia, które daje bardzo mało energii, a w dodatku zalega w jelitach.

Niektórzy nawet mówią:

– A pan X? On też umarł na raka, chociaż wsuwał tylko sałatę!

No właśnie. Bo surowe jedzenie w nadmiarze wcale nie jest dobre. Jest trudniejsze do strawienia i dlatego dłużej zostaje w organizmie. Czasem tak długo, że zaczyna się w nim psuć, pojawiają się bakterie i ogniska zapalne. Jeżeli jednocześnie osłabiasz swój układ odpornościowy – bo na przykład pijesz alkohol, za mało śpisz albo żyjesz w ciągłym stresie – to nie dziw się, że zamiast zdrowieć na diecie z surowych warzyw, zaczynasz chorować.

To samo dotyczy weganizmu.

Weganizm sam w sobie nie jest gwarancją zdrowia. Czy wiesz, że frytki to jest danie wegańskie? Ziemniaki usmażone w oleju roślinnym – to jest wegańskie danie, ale jednocześnie niszczy twój organizm zamiast go wspierać.

Jak? Bo ziemniaki używane do gotowania w barach szybkiej obsługi są uprawiane na masowych plantacjach ze sztucznymi nawozami, a potem usmażone w najprawdopodobniej starym (dla oszczędności) chemicznie wytworzonym oleju roślinnym.

To jest fragment maila, który dostałam od dziewczyny pracującej w barze szybkiej obsługi, która po przeczytaniu jednej z moich książek o zdrowiu napisała tak:

Olej do frytek jest wymieniany raz na tydzień, czasami rzadziej. Jest to przerażające, bo akurat moje miejsce pracy jest przy ruchliwej drodze, po której jeździ dużo samochodów. Co 15–20 minut trzeba wyławiać z niego różnego rodzaju brudy i syfy, żeby „jakoś wyglądał" (proces ten kierownictwo nazywa „łowieniem rybek"). Olej jest tak ciemny i brudny, że mi się niedobrze robi.

Mięso po wyjęciu z zamrażarki śmierdzi niemiłosiernie, więc to świadczy o jego jakości.

Przygotowane frytki powinny być sprzedane w ciągu 10 minut od usmażenia – takie są standardy. Jak jest duży ruch w piątek, sobotę i niedzielę to są one dotrzymane, bo wszystko robi się na bieżąco. Ale np. w środku nocy frytki potrafią leżeć na podgrzewaczu nawet po 3 godziny.

Czytałam niedawno w brytyjskiej prasie, że większość Anglików jest przekonanych o tym, że frytki można uznać za jedną z pięciu zalecanych porcji warzyw dziennie.

Ale nie można. Zrobione z chemicznie pędzonych najtańszych ziemniaków i usmażone w brudnym oleju roślinnym (który sam w sobie też jest szkodliwy) – to na pewno nie jest zdrowe.

A na przykład wegańskie danie, czyli smażony ryż z serem tofu? W życiu nie wzięłabym tego do ust! Biały ryż, czyli ryż chemicznie obłupany z 95% żywych, wartościowych składników, usmażony w chemicznie zrobionym oleju roślinnym, z dodatkiem sera tofu z genetycznie modyfikowanej soi. Danie wegańskie, ale jednocześnie zwyczajne śmieciowe jedzenie.

Dlatego przestałam mówić, że jestem weganką albo wegetarianką. Mówię tylko co chcę zjeść. Na przykład że ma być gorąca kasza gryczana i warzywa. Albo zupa pomidorowa bez mięsa. Albo ziemniaki z koperkiem i brokuły. I że wszystko musi być gorące. I ludzie przestali się dziwić. I przestali mi proponować miskę sałaty.

Gdybym na okładce książki ze zdrowymi przepisami napisała, że to są przepisy wegańskie, kupiłbyś ją? Pewnie

nie. Pomyślałbyś, że wegańskie jedzenie na pewno nie jest dla ciebie. Bo jest raczej dla zakręconych dziwoludków, które usiłują sobie w ten sposób coś wynagrodzić albo przykryć tym jakieś wewnętrzne problemy, z którymi się zmagają, prawda? Ja też tak kiedyś myślałam. Wydawało mi się, że jak ktoś ma kłopot z samym sobą, to przechodzi na weganizm, żeby sobie samego coś udowodnić.

No i zresztą przejście na weganizm tak naprawdę niczego nie zmienia.

Przejście na zdrowe jedzenie to coś zupełnie innego.

A dlaczego przestałam jeść mięso i sery, jogurt, makaron, chleb i słodycze ze sklepu – o tym napisałam w poprzednich tomach. Teraz wracam do tego, co uwielbiam jeść i co jem codziennie. I co jest nie tylko wegańskie, ale i przede wszystkim – stuprocentowo zdrowe.

ROZDZIAŁ 14

W Kathmandu

O czwartej rano przez noc przetaczał się szalony łomot garnków. Tak jakby olbrzym z gór walił w metalowe kotły wielkimi pałkami. Otwierałam nieprzytomnie oczy.

Było jeszcze ciemno. W świetle księżyca widziałam jak lśni warstwa szronu na ścianach wewnątrz namiotu. Powstał z moich oddechów i mrozu na dworze. Skuliłam się w puchowym śpiworze. Uderzyłam kolanem w aparat fotograficzny. Spałam razem z całym sprzętem elektronicznym, który trzeba było ogrzewać nocą własnym ciepłem. Dlatego w śpiworze było ciasno, ale cudownie ciepło. Zamknęłam oczy.

Łup, łup, łup!!! Znów ten olbrzym, który nad ranem wali w bębny.

Nie, przepraszam, to chyba był sen. Nie było olbrzyma z pałkami. Bum, bum, bum!!! Tak, teraz już całkiem oprzytomniałam.

Himalaje. Nepal. Wyprawa na szczyt sześciotysięcznika. Idziemy już od kilku dni. Większe bagaże są pakowane na jaki. Po południu rozbijamy namioty, a Szerpowie biorą się za gotowanie kolacji. Następnego dnia przed świtem zaczynają robić śniadanie. Przez najwyższe góry świata przetacza się szalone łomotanie metalowych garnków. Czwarta rano.

Westchnęłam. Może jeszcze trochę uda się pospać.

Łup, łup, łup!!! O szóstej rano spakowane bagaże i namioty muszą być gotowe do zapakowania na stado wynajętych jaków. One wyruszą swoim tempem o szóstej trzydzieści, a my niedługo później, po śniadaniu.

Ach, te himalajskie śniadania!!! Mimo woli przełknęłam ślinę. Koniec ze spaniem. Czas wstać, obmyć twarz w lodowatej wodzie, spakować śpiwór i namiot. I skulić się przy czajniku z gorącym mlekiem. A potem dostać najlepsze na świecie himalajskie śniadanie. W południe zjeść najlepszy na świecie himalajski obiad. A wieczorem – najlepszą na świecie himalajską kolację.

To bardzo proste i bardzo pyszne jedzenie. A najbardziej tajemniczą sprawą było to, co Szerpowie codziennie dodawali do każdego posiłku. Nie tylko nasi kucharze. Wszyscy.

W każdej wiosce, gdzie ludzie mieszkali w domach zbudowanych z kamienia, w każdym himalajskim barze na rozstajach dróg, w każdej restauracji w Kathmandu i innych miastach.

Najbardziej powszechnym daniem było *bhat & dal*. Czasem pojawiały się też *momo*, czyli gorące, gotowane na parze

Himalaje. Nepal.

Wyprawa na sześciotysięcznik.

pierogi nadziewane baraniną. Ale podstawą było *bhat & dal*. I gdybyś mnie wtedy zapytał co to jest, to mogłabym tylko odpowiedzieć, że nie mam pojęcia, ale jest to jedna z najlepszych rzeczy, jakie kiedykolwiek jadłam.

A właściwie, przepraszam, połowa tego dania nie wymagała żadnych wyjaśnień, bo był to po prostu biały ryż ugotowany na parze. Ale drugą część talerza zajmowała żółta kałuża czegoś gęstego, aromatycznego, o nieziemsko dobrym smaku.

Po pewnym czasie zorientowałam się, że ryż po nepalsku nazywa się *bhat*. Pozostało więc rozszyfrować czym jest to drugie tajemnicze, cudowne, pyszne coś, co nazywa się *dal*.

Gdybym mówiła po nepalsku, sprawa byłaby prosta.

Gdyby Szerpowie mówili po angielsku, też nie byłoby sprawy.

Nie pomogło nawet detektywistyczne śledztwo, które zaprowadziło mnie do kuchni. Na piecu opalanym suchymi plackami jaków stały okopcone garnki.

– *Dal*? – zapytałam z nadzieją, licząc na to, że zagadka wreszcie się wyjaśni.

Gospodyni zmrużyła oczy, tak jakby nie była pewna o co mi chodzi.

Rozejrzałam się. Chochle, noże, pęki zieleniny, worek z mąką, ryż, a obok niego...

– *Dal*? – dotknęłam worka z pomarańczowymi ziarenkami.

Nepalka patrzyła na mnie niepewnie.

– *Bhat* – oświadczyłam, wskazując na ryż. – A tutaj – dodałam po polsku – *dal.* Tak?

Pokiwała głową z uśmiechem.

Cudownie! Tyle że to wcale nie rozwiązuje zagadki. Wiedziałam na razie tylko tyle, że pyszne *dal* ma postać pomarańczowych ziarenek. Ale co to było? Jak się nazywało po polsku? I gdzie mam tego szukać, żeby przywieźć ze sobą zapas do Polski?...

Tak, to bardzo zabawne. Jechać na koniec świata, żeby odkryć coś, co istniało przez całe życie tuż pod moim nosem. Wtedy jednak jeszcze o tym nie wiedziałam.

Dwa tygodnie później w barze w Kathmandu usiadłam przy starym drewnianym stoliku i wzięłam do rąk równie historyczny jadłospis wydrukowany chyba sto lat temu. Litery były trochę krzywe i zamazane, ale ktoś zadał sobie trudu, żeby nazwy wszystkich potraw podać w dwóch językach.

– *Bhat and dal* – znalazłam moje ulubione danie. Pod spodem było napisane po angielsku: – *Rice and lentils.*

Zmarszczyłam czoło z wysiłku. Znałam to słowo. *Lentils, lentils...* – usiłowałam je odszukać w pamięci. I nagle otworzyłam szeroko oczy. Soczewica!!! *Lentils* to jest soczewica!!! Znana w Ameryce, znana też w Polsce!!! Tyle że ja nigdy wcześniej chyba jej nie jadłam. Byłam jednak prawie całkiem pewna, że można ją kupić w Polsce.

Miesiąc później zostałam zaproszona na wykład z okazji Międzynarodowego Dnia Ptaków w Białowieży. Po południu podano podlaskie specjalności.

– A co to jest? – zapytałam z ciekawością, przełykając kawałek pieczonej, podłużnej bułki z pysznym nadzieniem.

– Soczewiaki – odpowiedziała podlaska gospodyni, a ja zdumiałam się jeszcze bardziej niż wtedy w Kathmandu.

– Soczewiaki? – upewniłam się czy dobrze słyszę. – Z soczewicy?

– No jasne!

I tak odkryłam jedną z moich absolutnie najbardziej ulubionych rzeczy w kuchni. Musiałam pojechać aż do Nepalu, żeby dowiedzieć się o istnieniu skromnej, fantastycznej soczewicy.

Podróże naprawdę zmieniają życie. Podczas wyprawy przez Himalaje jedzenie było bardzo skromne. I właśnie dzięki temu miałam szansę docenić te małe, pyszne ziarenka, które nie tylko szybko się gotowały, ale też zaspokajały głód i dawały mnóstwo siły do wędrówki przez góry.

ROZDZIAŁ 15

Soczewica

To było kilkanaście lat temu i wtedy jeszcze myślałam, że soczewica jest pomarańczowa i zawsze rozgotowuje się na papkę. Bo tak właśnie podaje się ją w Nepalu i w Indiach. Poszłam do sklepu. Do tych półek, które zwykle omijałam z daleka, bo leżały tam takie dziwne rzeczy, których nigdy nie kupowałam: różne kasze, suszona fasola, suszony groch. To mi się kojarzyło tylko z gotowaniem na specjalne okazje, na przykład kiedy ktoś chce zrobić świąteczną kapustę z grochem.

Bo przecież na co dzień już nikt tak nie gotuje, prawda? Jak masz ochotę na zupę grochową, to kupujesz zupę w proszku albo gotową do podgrzania zupę w kartonie i już. Kto by miał czas bawić się w namaczanie grochu, gotowanie, doprawianie i tak dalej?...

Tak wtedy myślałam.

No, ale podążając tropem soczewicy zagłębiłam się w ten dziwny zakątek supermarketu i znów się zdumiałam. Była soczewica pomarańczowa. Była też zielona. I brązowa. W sklepie organicznym znalazłam też soczewicę żółtą i czarną. Ziarenka miały nie tylko różne kolory, ale też inną grubość, wielkość i kształt.

Ha! A czy wiesz, że soczewicę jedli już ludzie w czasach prehistorycznych?... To jedna z najstarszych roślin uprawnych. Wyobraź sobie jaskiniowców w epoce kamienia gładzonego, którzy zbierają ziarenka soczewicy i gotują je w glinianym garnku nad ogniem. Dziesięć tysięcy lat temu. To ona dawała im siłę, żeby przetrwać trudne czasy.

No i to nie może być przypadek, że właśnie to samo jedzą na co dzień ludzie w Himalajach. Bardzo wysoko nad poziomem morza, gdzie jest mało tlenu, a noce bywają tak przeraźliwie zimne, że drobne skalne kwiaty nad ranem są obrośnięte płatkami lodu.

Brakuje świeżych owoców i warzyw. Jest tylko ryż i soczewica. Czasem trafia się mięso jaków. A ludzie mają legendarnie wielką siłę. To przecież Szerpowie są przewodnikami wypraw na wierzchołki najwyższych gór świata. Są wytrzymali, szybko się aklimatyzują, świetnie znoszą niskie temperatury i oddychanie rozrzedzonym powietrzem. Mają też wielką siłę fizyczną. Widziałam w Himalajach tragarzy, którzy wnosili na góry powiązane plecaki trzech białych wspinaczy, drewniane drzwi, łóżko albo worki ziemniaków. Na własnych plecach.

Mają naprawdę wielką siłę.
I odżywiają się głównie gotowaną soczewicą.

I coś ci powiem.
Uwielbiam soczewicę za jej smak i za to, że tak szybko można ją przyrządzić. Ale najbardziej lubię ją za to, że daje fantastyczne poczucie mocy. Naprawdę. To bardzo wyjątkowe.

Mniej więcej dziesięć lat temu zaczęłam inaczej myśleć o jedzeniu. A właściwie w ogóle zaczęłam *myśleć* o tym co jem, interesować się tym z czego to jest zrobione i w jaki sposób. Świadomie zaczęłam wybierać tylko to, co jest zdrowe i wartościowe. Zaczęłam gotować.
Robię proste, szybkie i niewielkie dania. I po każdym czuję się nie tylko odżywiona, zasilona świeżą, mocną energią, ale i uradowana i szczęśliwa.

Tak było w Himalajach. I tak samo jest teraz w Polsce.

Mam w kuchni pięć rodzajów soczewicy – żółtą, pomarańczową, zieloną, brązową i czarną.

Żółta i pomarańczowa soczewica – a właściwie czerwona, bo tak jest nazywana w Polsce – szybko rozgotowuje się na papkę. I jest to bardzo pyszna papka. Gęsta, pachnąca, do której można dorzucić dowolne dodatki. Idealnie pasuje do niej trochę kminu rzymskiego i kurkuma. Uwielbiam soczewicę z dodatkiem zielonego groszku. Fantastycznie smakuje też z dodatkiem drobno pociętego kalafiora, cukinii albo brokułów. Albo z łyżką nasion słonecznika i dyni.

Soczewicę w różnych daniach jedli już ludzie w czasach prehistorycznych

Soczewica szybko się gotuje i nie trzeba jej namaczać. Jest idealna wtedy, kiedy nie przygotowałam sobie niczego wcześniej – bo inne warzywa strączkowe – fasolę, groch, ciecierzycę – trzeba namoczyć na noc, żeby zmiękły. A soczewicę wystarczy wrzucić do gorącej wody, dodać przyprawy i to, co lubisz najbardziej, i po dwudziestu minutach będzie gotowa.

Większość przepisów dostępnych w Internecie albo książkach kucharskich zaleca rozpocząć od rozgrzania oleju na patelni i podsmażenia cebuli, i ja też tak kiedyś robiłam. Ale później, im więcej wiedziałam o jedzeniu i kiedy sprawdziłam dokładnie w jaki sposób robi się oleje roślinne, całkowicie z nich zrezygnowałam. Zamiast oleju (pod koniec gotowania) dodaję orzechy i nasiona, które zawierają najzdrowszy na świecie tłuszcz, bo naturalny i w żaden sposób nieprzetworzony. I dlatego we wszystkich przepisach zaczynam od zagotowania niewielkiej ilości wody. I tak też robię soczewicę.

Zielona soczewica ma większe ziarenka niż czerwona, w kształcie małych latających spodków. Też nie wymaga moczenia i też szybko się gotuje, ale ziarenka zachowują swoją oryginalną postać, czyli nie rozgotowują się na papkę. Zostają całe i chrupiące. Jeżeli więc lubisz jedzenie o konkretnym kształcie, spróbuj zielonej soczewicy. Można jej dodać do gulaszu z warzyw, do kotletów, krokietów i pierogów. Jadłam też pyszny pasztet z zielonej soczewicy.

Bardzo łatwo możesz zrobić zupę z soczewicy. Wystarczy dodać jej do dowolnie skomponowanej zupy z warzyw. Dolej wtedy trochę więcej wody, bo soczewica podczas gotowania puchnie i wchłania w siebie wilgoć.

Biblijny chleb Ezechiela, o którym pisałam wcześniej, był prawdopodobnie zrobiony właśnie z dodatkiem zielonej soczewicy. Przepis ze Starego Testamentu brzmi:

Weź sobie pszenicy i jęczmienia, bobu i soczewicy, prosa i orkiszu: włóż je do tego samego naczynia i przygotuj sobie z tego chleb. Będziesz go spożywał przez tyle dni, przez ile będziesz leżał na swym boku – przez trzysta dziewięćdziesiąt dni.[4]

Brązowa soczewica jest mniejsza i bardziej okrągła. Po ugotowaniu zachowuje kształt kuleczek, świetnie więc nadaje się jako dodatek do sałat.

Z **czarną soczewicą** jest podobnie, są tylko dwie różnice. Jest twardsza, więc trochę dłużej się gotuje (ok. 35 minut) i zawiera intensywnie czarny barwnik, który farbuje całe danie.

Pamiętam jak wpadłam na genialny pomysł, żeby ugotować zupę z czerwonej papryki z czarną soczewicą i wydawało mi się, że to będzie intensywnie czerwony krem z czarnymi ziarenkami. Figa z makiem. Zupa była ciemnobura, prawie czarna, smaczna, chociaż wyglądała niezbyt apetycznie.

---

4 Ez 4, 9. Za: „Pismo Święte Starego i Nowego Testamentu", Pallotinum, 1980.

Jeżeli więc chcesz mieć danie jasnego koloru z dodatkiem czarnej soczewicy, ugotuj ją osobno z przyprawami i w jak najmniejszej ilości wody. Wodę potem odlej, a ugotowane ziarna dodaj do swojego dania.

Czerwona i zielona soczewica jest w prawie każdym sklepie. To naprawdę dawne, tradycyjne polskie jedzenie, znane od czasów neolitu, czyli kamienia gładzonego.

Żółtą, brązową i czarną soczewicę znajdziesz raczej w sklepach ze zdrową żywnością.

Wszystkie rodzaje soczewicy są bardzo zdrowe, bardzo pożywne i lekkostrawne. Łatwe i szybkie w przygotowaniu. I pyszne!

Soczewica zawiera dużo wartościowego błonnika, który przeczyszcza cię od środka.

Obniża poziom złego cholesterolu.

Kontroluje poziom cukru we krwi, żeby utrzymać go na najlepszym możliwym poziomie.

Zawiera witaminy i pierwiastki (takie jak m.in. folacyna i magnez) aktywnie wspomagające pracę serca i naczyń krwionośnych, czyli chroni przed ich chorobami.

Jest fantastycznym źródłem energii do życia, między innymi dlatego, że zawiera dużo żelaza potrzebnego do zasilania twoich wewnętrznych systemów kierujących przemianą materii i wytwarzaniem energii.

Żelazo znajduje się też w hemoglobinie, która przenosi życiodajny tlen do wszystkich komórek twojego ciała. Dzięki temu właśnie czujesz się silny i zadowolony.

Soczewica zawiera też świetne, łatwo przyswajalne białko. I to jest moja odpowiedź dla tych, którzy unoszą z zaskoczeniem brwi i pytają:

– No, ale jak to? Wegetarianizm? A co z białkiem?...

ROZDZIAŁ 16

Warzywa strączkowe

Zakochałam się w warzywach strączkowych. Soczewicę odkryłam w Nepalu, groszek i ciecierzycę w Indiach, a fasolą zajadałam się w Brazylii. I dopiero pewnego dnia uświadomiłam sobie najbardziej zdumiewający fakt.

Przecież my w Polsce mamy długą i bogatą tradycję jedzenia soczewicy, grochu i fasoli! Jedna z najbardziej typowych polskich zup to przecież fasolowa! A kto nie słyszał o wojskowej grochówce? Albo o postnym grochu z kapustą podawanym na święta?

Jakimś niezwykłym zrządzeniem losu warzywa strączkowe zostały w Polsce zapomniane.

Kiedy podróżowałam przez miesiąc po Brazylii, codziennie ratowała mnie pyszna czarna fasola. To jest podstawa brazylijskiej kuchni, bez której trudno sobie wyobrazić obiad czy kolację. Fasola musi być. Podobnie jak mięso. Ale ponieważ ja nie jem mięsa, została mi tylko fasola z ryżem.

Siedziałam pewnego dnia w brazylijskim barze, zmordowana po całym dniu podróżowania, głodna i spragniona.

– Co jest do jedzenia? – zapytałam.

– Smażony kurczak – odpowiedziała kucharka.

– A coś innego?

– Jest jeszcze trochę mięsa – zaproponowała uchylając pokrywkę.

Kurczak według Brazylijczyków nie jest mięsem. Należy do osobnej kategorii. Niektórzy nawet uważają, że kurczak jest odpowiedni dla wegetarian.

– I fasola? – domyśliłam się.

– Oczywiście.

– I ryż?

– Jasna sprawa.

Poprosiłam o talerz ryżu z gorącą fasolą, posypałam je obficie prażonym maniokiem i poczułam się jak w raju. Z każdym widelcem powracało do mnie życie i siła.

– Dzięki Bogu za tę cudowną fasolę!!! – pomyślałam z wdzięcznością.

I sama się zdumiałam. Bo przecież my w Polsce mamy więcej odmian fasoli niż Brazylijczycy! Ale pokaż mi Polaka, który jada ją choćby raz w miesiącu. A w Brazylii ludzie jedzą fasolę dosłownie codziennie! Tak samo jest w niektórych krajach Ameryki Środkowej, gdzie najbardziej popularnym daniem jest ryż wymieszany z fasolą.

W Indiach codziennie rano na ulicy rozstawiają się małe wózki z jedzeniem. Kucharz na bieżąco smaży małe placki zwane *puri* i sprzedaje je w małych miseczkach z dodatkiem gorącej ciecierzycy. Jakie to jest pyszne! Rozgrzewające i stawiające na nogi, szczególnie w chłodny dzień!!!

Spróbuj znaleźć w Polsce choć jedno miejsce, gdzie o siódmej rano będzie można zjeść gotowaną ciecierzycę na ciepło!

A dlaczego miałabym na to ochotę? Bo takie śniadanie daje moc. Naprawdę. Czujesz się wtedy jak świeżo zatankowany samochód, który z radością rozpoczyna podróż.

Warzywa strączkowe mają bardzo dużo białka, więc spokojnie mogą zastąpić mięso. Wrogowie takiego rozwiązania powiedzą pewnie, że owszem, wprawdzie fasola czy soczewica zawierają białko, ale przecież jest go znacznie mniej niż w mięsie.

To prawda! I tak właśnie powinno być!

Mięso zawiera zbyt dużo białka. A ludzie jedzą zbyt dużo mięsa. Są nawet badania sugerujące, że choroby współczesnego świata, m.in. różne odmiany nowotworów, są wywoływane właśnie przez nadmierne spożywanie mięsa, szczególnie tego niezdrowego pochodzącego z przemysłowych hodowli.

Osteoporoza, czyli osłabienie kości kojarzone z brakiem wapnia, jest w rzeczywistości spowodowane przez nadmiar białka, bo podczas jego trawienia powstają kwaśne związki, które organizm usiłuje zneutralizować za pomocą wapnia, które jest wypłukiwane z kości.

To oznacza, że po zjedzeniu porcji mięsa, ryby, mleka, sera lub innego dania zawierającego białko zwierzęce, ilość wapnia w twoim organizmie wcale nie rośnie, ale wprost przeciwnie – maleje, bo zostaje wypłukane i wydalone razem z moczem.

Sprawdź sam gdzie jest najwięcej przypadków osteoporozy. Czy w krajach, gdzie praktycznie nie jada się mleka ani sera – takich jak na przykład Chiny, albo gdzie nie jada się mięsa – jak na przykład Tajlandia; czy też może tam, gdzie ludzie codziennie jedzą bardzo dużo nabiału i mięsa, czyli w Holandii, Australii, Kanadzie, Stanach Zjednoczonych. Zdziwisz się.

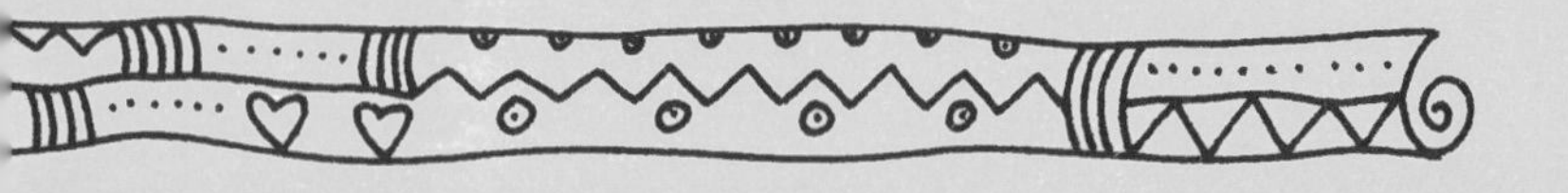

Warzywa strączkowe zawierają zdrowe i pożywne białko, dużo błonnika, minerały i witaminy.

Poprawiają trawienie i wzmacniają metabolizm.

Pomagają utrzymać właściwy poziom cukru we krwi.

Obniżają poziom szkodliwego cholesterolu.

Są zdrowym dietetycznym jedzeniem!

Są pożywne i lekkie, dają trwałe poczucie sytości, dzięki czemu nie masz ochoty na przekąski. Czyli pomagają w zdobyciu i utrzymaniu szczupłej sylwetki.

Wzmacniają serce i zapobiegają jego chorobom.

Zawierają minerały wzmacniające włosy, skórę i paznokcie, a także magnez przywracający dobre samopoczucie i optymistyczne spojrzenie na świat.

W Brazylii ludzie jedzą fasolę codziennie!

Soczewica i zielona fasola mung nie wymagają namaczania. Gotują się szybko, w pół godziny są gotowe.

Inne odmiany suszonych warzyw strączkowych – fasola, groch, ciecierzyca – wymagają namoczenia na noc. Wystarczy zalać je w szklanej misce zimną wodą i zostawić do rana. Po namoczeniu wystarczy je gotować przez ok. pół godziny. Dłuższego gotowania wymaga tylko biała fasola.

Odradzam korzystanie z warzyw strączkowych zamkniętych w puszkach. Zresztą sam porównaj jak bardzo różni się ich smak od suszonych, które namoczysz na noc. Warzywa z puszki mają inną konsystencję, są nasiąknięte sztuczną zalewą i moim zdaniem są niesmaczne.

Warzywa strączkowe idealnie pasują do dań ze świeżych, krótko gotowanych warzyw. Ja zwykle gotuję je razem, w jednym garnku. Ciecierzyca jest pyszna z ziemniakami, soczewicę uwielbiam z brokułami i marchewką, a czerwoną fasolę z kaszą gryczaną. Na gorąco jako obiad i kolację!

ROZDZIAŁ 17

Samopsza i płaskurka

Czy widziałeś kiedyś z bliska kłos zboża? Ale nie na zdjęciu. Na polu, w prawdziwym życiu.

Ja widziałam.

Zatrzymałam się, usiadłam na ziemi i spojrzałam z bliska na kłos.

Zdumiałam się. I poczułam się tak, jak pierwsi ludzie na Ziemi.

Oni pewnie też zauważyli, że ta niezwykła roślina jest pełna życia. Ma prostą, cienką łodygę bez liści. A na samej górze ciasno upakowane, pękate nasiona w cienkich łupinkach. Wyglądają właściwie jak mikroskopijne bochenki chleba upieczone przez Naturę z najbardziej bogatych i pożywnych składników.

Każdy, kto spojrzy na dojrzały kłos zboża z bliska po raz pierwszy, natychmiast rozpozna w nim coś, co wydaje się mieć wielką moc i z pewnością nadaje się do zjedzenia.

Pozostało tylko opracować metodę. Zrobili to mieszkańcy pagórkowatych okolic Bliskiego Wschodu. Bardzo dawno temu. Trudno powiedzieć dokładnie kiedy człowiek zaczął używać ziaren pszenicy do jedzenia. Prawdopodobnie już w epoce kamienia gładzonego, czyli mniej więcej 12 000 lat temu.

I teraz pewnie pomyślisz, że z tą pszenicą to jest zagadkowa sprawa, bo przecież słyszy się czasem, że to właśnie pszenica jest przyczyną wielu chorób, że od pszenicy się tyje, więc wydaje się, że to bardzo przereklamowana sprawa. Są nawet lekarze, którzy zalecają, żeby całkowicie z niej zrezygnować.

A wiesz czym różni się tamta pierwsza pszenica ze starożytności od dzisiejszej?

Jedną prostą rzeczą.

Tamta pszenica była PRAWDZIWA. Była taka, jak natura ją zaprojektowała i podsunęła ludziom do jedzenia.

A co stało się potem?

Ludzie robili sobie placki z rozgniecionych ziaren i wody, potem wymyślono zakwas, który nadawał plackom pulchności. Potem mąkę zaczęto coraz drobniej mielić w młynach, więc powstały nawet całkiem delikatne bułki.

A potem człowiek pomyślał, że właściwie ta pszenica trochę za wolno rośnie. I ma trochę za małe ziarna. I bywa dość podatna na choroby. W sumie jest owszem bardzo fajna, ale mogłaby być fajniejsza. Szybciej rosnąć, być odporna na szkodniki, dawać większe plony. No wiesz, żeby można było więcej zebrać, więcej sprzedać i więcej zarobić. No przecież

Starożytni Egipcjanie
piekli placki
z najstarszych odmian
pszenicy –
samopszy i płaskurki

wszyscy na tym zyskają, prawda? Ludzie będą mieli więcej chleba, młynarz więcej zarobi na mące, a rolnik więcej sprzeda. Wszyscy będą zadowoleni. Finansowo.

Bo nikomu nie przyszło do głowy, że jeżeli naruszysz wewnętrzną, naturalną strukturę pszenicy, to być może sprawisz, że stanie się ona szkodliwa dla człowieka.

W jaki sposób? Myślę, że nikt tego dokładnie nie wie. Bo przecież naukowcy posługują się tylko bardzo ograniczonym zestawem wiedzy opracowanym przez ludzkie umysły. Poruszają się w granicach spraw możliwych do zmierzenia i opisania. Nic nie wiedzą o całej reszcie delikatnych powiązań, jakie istnieją pomiędzy wszystkimi przejawami życia na naszej planecie.

Przypuszczam, że za kilkanaście albo kilkadziesiąt lat pojawią się pierwsze nieśmiałe informacje o tym, że otaczający nas świat jest w rzeczywistości czymś więcej niż dotychczas myśleliśmy. Być może komuś uda się zmierzyć to, co jest teraz dla nas niedostrzegalne. A jeśli nie jesteśmy w stanie tego zobaczyć, twierdzimy, że to nie istnieje.

Naturalne, prawdziwe ziarno pszenicy jest dokładnie takie, jakie powinno być. Jest tak zaprojektowane przez Boga, żeby w idealny sposób pasować do ludzkiego organizmu – wspierać w nim to, co wymaga wsparcia, hamować to, co musi zostać spowolnione, przyśpieszyć to, co ma się dziać szybko.

Pszenica była dobra i zdrowa – tak długo, jak była sobą.

Bo potem pojawił się człowiek z mikroskopem i chęcią zysku. Nasz świat zaczął się kręcić wokół pieniędzy. Więcej produkować, więcej sprzedawać, więcej zarabiać, żeby móc więcej wydawać.

Genetycznie modyfikowana pszenica daje większe plony, jest odporna na choroby, tańsza i łatwiejsza w „produkcji". Jest syntetycznym robotem stworzonym przez człowieka na wzór pszenicy stworzonej kiedyś przez Boga.

I jak każdy syntetyczny robot, jest *sztuczna*, a więc idealnie pasuje do równie sztucznych i mechanicznych zadań – na przykład do budowy domu z betonu. Ale zupełnie nie pasuje do budowy siły i zdrowia człowieka. Nie pasuje, bo została naruszona jej wewnętrzna struktura, zaprojektowana przez Boga jako w pełni kompletna i integralna z innymi żywymi organizmami – takimi jak człowiek.

I dlatego teraz uważa się, że pszenica jest szkodliwa, wywołuje otyłość i inne choroby.

To prawda. Ale jest tak tylko dlatego, że współcześnie uprawiana pszenica jest sztucznie zmieniona przez człowieka.

Ale zobacz. Ludzie zaczynają już dostrzegać zależność między tym co jedzą, a tym, jak się czują. I coraz głośniej mówi się o tym, że wszystkie współczesne choroby zwane „cywilizacyjnymi" wzięły się z przemysłowo produkowanego, taniego, chemicznie fabrykowanego jedzenia.

I teraz zaczyna się wracać się do tego, co było kiedyś!

Do tych pierwszych, prawdziwych, niemodyfikowanych odmian zbóż. Do najstarszych odmian pszenicy – takich jak samopsza i płaskurka.

Uwielbiali je starożytni Egipcjanie w czasach faraonów i dawni mieszkańcy Europy. Robiono z nich zdrowe placki i chleb.

Samopsza i płaskurka mają witaminę W jak Wszystko i witaminę Ż jak Życie.

Mam mówić więcej?

Powiem tylko tyle, że w Polsce pojawiły się pierwsze ekologiczne uprawy najstarszych odmian pszenicy – samopszy, płaskurki i orkiszu. Ekologiczne, czyli bez stosowania sztucznych nawozów, chemicznych oprysków i niemodyfikowane genetycznie.

W sklepach ekologicznych pojawiła się mąka z samopszy i płaskurki! Ja używam jej czasem do pieczenia chleba. Tym, którzy lubią marudzić, że mieszkają w małej miejscowości, gdzie nie ma ani jednego sklepu ekologicznego, od razu odpowiadam: robię zakupy w internetowym sklepie ekologicznym i kilka dni po złożeniu zamówienia pan kurier przywozi mi paczkę do domu.

ROZDZIAŁ 18

W Tybecie

W podróżowaniu po świecie lubię to, że czasem pokazuje mi coś, co wydawało mi się, że doskonale znam, ale nagle widzę to w nowy, kompletnie zaskakujący sposób. I tak też było w Tybecie.

Usiadłam sobie na murku w Lhasie, czyli dawnej stolicy Tybetu i siedzibie Dalajlamy. Dawnej, czyli zanim Tybet został siłą zajęty przez Chińczyków.

Lubię zniknąć w czasie podróży.

Zamiast być z daleka rozpoznawalnym podróżnikiem z aparatem fotograficznym w rękach, czasem świadomie staram się być niewidoczna. Siadam gdzieś z boku, chowam sprzęt do nagrywania i robienia zdjęć, i przełączam się na rejestrowanie podświadomością.

Siedzę i patrzę.

Największy przysmak w Tybecie:

Termos z gorącą herbatą

Prażony jęczmień

Wymieszać palcami i jeść

A właściwie nawet nie „patrzę", tylko mam otwarte oczy. Nie staram się zauważać niczego w szczególności, wyciągać żadnych wniosków ani oceniać tego, co widzę. Jestem trochę jak ukryta kamera, która bez wybierania tego, co jest mniej lub bardziej ważne, po prostu nagrywa wszystko – po to, żeby później ktoś inny to przejrzał i przeanalizował pod kątem zależności, mechanizmów i innych ciekawych spraw.

Tym „kimś" będzie później mój podświadomy umysł, a jeszcze później świadoma, racjonalna część mojego umysłu, która być może z tych pierwszych podświadomych wniosków będzie chciała sformułować pełniejsze wypowiedzi, uzupełnione o inne obserwacje.

Mówiąc krótko: siadam, otwieram oczy i nagrywam w podświadomości wszystko, co się dzieje dookoła. Także to, czego mój świadomy umysł w tamtej chwili nie dostrzega.

No i tak właśnie pewnego dnia usiadłam sobie w Lhasie. Świeciło słońce, zatopieni w modlitwie pielgrzymi wędrowali do świątyń, na wietrze łopotały buddyjskie kolorowe chorągiewki.

W pewnej chwili na murku nieopodal usiadł Tybetańczyk w kapeluszu. Miał na sobie zniszczone czarne buty, czarne spodnie i czarną kurtkę. A na twarzy taki wyraz, jak ktoś, kto od dawno czeka na coś bardzo ważnego i wie, że to się właśnie za chwilę stanie.

Postawił na ziemi termos, nalał z niego do miseczki trochę gorącej herbaty. A potem ostrożnie wyjął z kieszeni przezroczystą torebkę z białym proszkiem i powoli, delikatnie usypał z niej prawie połowę. Prosto do miseczki z herbatą.

Schował torebkę, oparł się wygodnie o płot i mrużąc z przyjemnością oczy, zanurzył w niej prawą dłoń. Patrzyłam jak do jego ciemnych, ogorzałych od słońca palców przykleja się mokra mąka. A on cierpliwie mieszał i mieszał, miesił i wyciskał to, co Tybetańczycy lubią najbardziej: mąkę z prażonego jęczmienia wymieszaną z herbatą. Czyli najprostsze danie, które nazywa się *tsampa.*

No i wtedy właśnie pomyślałam sobie:
– Rety, mąka jęczmienna? Ale zaraz! No jasne! Przecież właśnie z jęczmienia pieczono placki w starożytności i robiono pierwsze piwo!

Jęczmień został rozpoznany przez ludzi mniej więcej w podobnym czasie, co pierwsze odmiany pszenicy, czyli mniej więcej dziesięć tysięcy lat temu.

W epoce kamienia gładzonego – czyli wtedy, kiedy ludzie świadomie zaczęli wytwarzać narzędzia i uprawiać ziemię – prawdopodobnie robiono z jęczmienia pierwsze fermentowane piwo.
W dżungli amazońskiej do dzisiaj robi się piwo podobnymi metodami – z owoców palmowych i manioku, więc łatwo mogę sobie wyobrazić jak to pierwsze piwo jęczmienne wyglądało. Było zapewne bardzo słabe, ciepłe i gęste jak zupa.

W starożytnym Rzymie gladiatorów nazywano „zjadaczami jęczmienia", bo z niego właśnie czerpali siłę do walki.

W średniowiecznej Europie biedacy jedli żyto i jęczmień, bo tylko bogatych było stać na bardziej luksusową i delikatną pszenicę. Ciekawe jakie byłyby wyniki gdyby sprawdzić kto był silniejszy, a kto częściej chorował – wieśniacy ze wsi ze swoim żytnim chlebem i kaszą jęczmienną, czy bogaci mieszczanie z pszennymi bułkami i winem.

Mam mówić więcej?

Mamy w Polsce absolutnie fantastyczną kaszę jęczmienną! Występuje w kilku odmianach, ale właściwie to jest ta sama kasza, tylko w różnym stopniu rozdrobniona.

Najlepsza i najzdrowsza jest kasza pęczak, bo jest to prostu całe ziarno jęczmienia bez łuski.

Wszystkie inne odmiany kaszy jęczmiennej to połamany pęczak. Kasza perłowa w kształcie małych kuleczek to pokruszony i wypolerowany pęczak. Kasza łamana duża, średnia albo drobna to też po prostu pęczak pokruszony na mniejsze kawałki. A im bardziej jest rozdrobniony, tym mniej zawiera swoich oryginalnych zalet.

A ma ich co niemiara.

Kasza jęczmienna ma bardzo dużo naturalnego, delikatnego błonnika, który działa jak szczotka oczyszczająca nas od środka. Podkreślam, że jest to błonnik naturalny i delikatny, w odróżnieniu od bardziej ostrego i drażniącego błonnika, który jest czasem sztucznie dodawany do produktów żywnościowych reklamowanych jako „zdrowe".

Kasza jęczmienna obniża poziom szkodliwego cholesterolu, wzmacnia serce, pomaga czyścić naczynia krwionośne, chroni przed powstawaniem kamieni nerkowych i ma jeszcze bardzo wiele innych pożytecznych właściwości, witamin i mikroelementów. Nie chcę wymieniać ich wszystkich.

Chcę tylko zwrócić twoją uwagę na fakt, że mamy pod nosem coś tak genialnego jak kasza jęczmienna pęczak, której możesz używać w kuchni na wiele różnych sposobów. Można zrobić zupę z pęczakiem. Można ugotować pęczak z cukinią albo zielonym groszkiem. Albo użyć go jako bazy do sałaty z dodatkiem świeżej kolendry, pomidora i czosnku.

Płatki jęczmienne są świetne w muesli.

Jest też mąka jęczmienna, której można używać do pieczenia chleba i ciastek. Powiem nawet więcej. Mój ulubiony, najlepszy chleb piekę z połączenia mąki żytniej i jęczmiennej, bo dodatek tej drugiej nadaje mu cudownie aksamitną, lekko wilgotną konsystencję.

ROZDZIAŁ 19

Boże Drzewko

– Boże Drzewko zawsze było przy domu – powiedział pan Mirek i zatrzymał się przy kępie niepozornych krzaków.

– Boże Drzewko? – upewniłam się. – Wygląda jak koperek!

– Och nie – żachnął się pan Mirek – należy do zupełnie innej rodziny roślin.

Zerwał dwie cienkie gałązki, roztarł w palcach i powąchał.

– Wystarczyło zgnieść, wymieszać ze smalcem i przykładano to na skórę, żeby wyleczyć drobne rany. Bo to najczęstsze dolegliwości na wsi. Pasożyty i mechaniczne uszkodzenia skóry. Wystarczyło przyłożyć pastę z Bożego Drzewka.

– A tu – przeszedł kilka kroków do następnego ziela. – Wielosił. Ma bardzo silne działanie uspokajające. Jak wodzowie szli na ważne rozmowy i pertraktacje, to przed

wielosił

Kiedyś zioła rosły przy
każdym domu we wsi
i używano ich do leczenia

spotkaniem wszyscy dostawali do picia napar z wielosiłu. Żeby zachować spokój.

Ha! Mogłabym sto razy przejść obok wielosiłu i nigdy nie zorientować się, że ma leczniczą moc. Wyglądał niepozornie jak chwast.

– Jak miałem kilka lat, poparzyłem sobie rękę wrzątkiem. Babcia od razu wyskoczyła z chaty na podwórko, podbiegła do dębu, zerwała z niego trochę mchu – takiego mchu, który rośnie na korze drzew, zaparzyła to mlekiem, ostudziła i przyłożyła mi na skórę. Po kilku dniach nie było śladu. A kolega z klasy, któremu zdarzyło się to samo i też się oblał gorącą wodą, ale jego babka nie znała się na ziołach, ma przykurcz do dzisiaj.

– Szczaw kędzierzawy, dziurawiec, piołun, skrzyp, krwawnik. Rosły przy każdym domu. Bez tego nie było życia na wsi. Każda gospodyni wiedziała, że piołun odstrasza szkodniki i komary. Był lekarstwem na bóle brzucha, katar i pasożyty.

Pan Mirek znów zrobił kilka kroków, zatrzymał się przy następnej niepozornej, skromnej roślince.

– Sporysz, nazywany też rdestem ptasim. Sporysz, bo miał przysparzać dóbr. Kiedy budowano dom, to w podmurówkę zawsze wkładano trochę sporyszu, żeby gospodarzom dobrze się powodziło.

– A jak późnym latem rozpoczynały się zbiory zboża, to pierwsze snopki zawsze układano na krzyż, na tym umieszczano wianek ze sporyszu. Na dobre plony. A teraz? – roześmiał się pan Mirek.

– Nie ma już nawet snopków – podpowiedziałam.

Przecież kilka godzin temu widziałam na polach zebrane zboże. Przyjechał kombajn, ściął i od razu zapakował w białe tworzywo sztuczne.

– Kiedyś wszyscy ludzie mieli szacunek dla roślin, bo wiedzieli, że to jest jedzenie, przyprawa i lekarstwo – pokiwał głową pan Mirek. – Szli na pole czy do lasu, zbierali tyle, ile im było potrzebne, a resztę zostawiali w spokoju. Mówili, że zioła to dar Boży.

– A tu – przywrotnik. Zioło dla zwierząt. Jak sąsiad spojrzał z zazdrością złym okiem i krowa czy koza przestawała dawać mleko, to trzeba było przelać trochę mleka przez wianek z przywrotnika.

– A tu, niech pani powącha.

– Ładnie pachnie.

– Wrotycz balsamiczny. Używano go do balsamowania zwłok. A pisarze brali taką suszoną roślinkę i przekładali nią święte księgi. Chroniła przed pasożytami. No i ładnie pachniała.

– O wiesiołku pewnie pani słyszała?

– Tak. Nasion wiesiołka dodaje się do różnych wypieków.

– A korzenie młodego wiesiołka były wielkim przysmakiem. Są w środku białe, smakują trochę podobnie jak marchewka. A tu rośnie dziewanna. Violetta Villas robiła z niej napar do mycia włosów. Ale jest takie przysłowie, że

„Gdzie rośnie dziewanna, tam biedna panna", bo rośnie tylko na ubogiej ziemi, więc kiedy jakiś chłopak przybywał do wsi w poszukiwaniu dziewczyny na żonę, to od razu wiedział, że jeśli przy obejściu rośnie dziewanna, to lepiej stamtąd zmykać, bo to musi być biedna rodzina. Bo na takiej lichej ziemi, jaką lubi dziewanna, nie chce rosnąć zboże ani warzywa.

Nie przerywałam, nie zadawałam pytań. Notowałam pilnie każde słowo, oszołomiona tym bogactwem.

Zobacz. Ludzie jeżdżą na koniec świata w poszukiwaniu zielarzy i szamanów, którzy mogliby pomóc w takich przypadkach, gdzie medycyna konwencjonalna nie umie sobie poradzić.

Ja sama często dostaję maile z prośbami o dokładne adresy szamanów, o których wspominałam w książkach albo pośredniczenie w zdobyciu leczniczych ziół z Andów czy dżungli amazońskiej.

A przecież my to wszystko mamy w Polsce! Tuż pod nosem – na polach, łąkach, w lasach. Jedyny problem polega na tym, że coraz mniej jest ludzi, którzy są w stanie rozpoznać lecznicze zioła i wiedzą jak je zastosować.

– A pan? – zapytałam w końcu. – Skąd pan to wie?

– Tutaj się wychowałem. Zbierałem zioła z babcią. Szybko zapamiętywałem. Potem pojechałem na studia do Warszawy, ale przez cały czas myślałem o tym, że wrócę tutaj i będę zbierał zioła.

Na początku ręcznie pakował je w torebeczki i rowerem rozwoził do miejscowych sklepów. A potem w Korycinach założył plantację Podlaski Ogród Ziołowy, który kilka lat temu dostał oficjalny status ogrodu botanicznego. Ma siedemset gatunków ziół. O każdym można by długo opowiadać. I każde w polskiej medycynie ludowej ma sprawdzone, tradycyjne zastosowanie.

I to jest właśnie najbardziej niezwykłe.

To wszystko jest tuż obok nas. Tylko ludzie całkiem o tym zapomnieli.

ROZDZIAŁ 20

Czerwone maki

Nie zamierzam pisać podręcznika zielarstwa, chciałabym ci tylko pokazać jak bardzo niezwykłe są polskie zioła. I równie niezwykli są ludzie, którzy potrafią nimi leczyć. Warto ich szukać.

Szczególnie takich, którzy od lat mieszkają w swojej wiosce i są znani w okolicy. Bo zdarzają się też tacy, którzy po przeczytaniu kilku książek chcą zarabiać na ludzkiej naiwności.

Jestem przekonana o tym, że polska tradycyjna medycyna ludowa oparta na ziołach i innych roślinach jest równie wartościowa i skuteczna jak metody chińskich czy tybetańskich uzdrowicieli i amazońskich szamanów.

Oni robią dokładnie to samo.

Z pokorą i szacunkiem wobec przyrody uczą się rozpoznawać lecznicze właściwości roślin. Nie używają ich tylko

Czy wiesz, że wszyscy
jesteśmy częścią przyrody
i należymy do niej
tak samo jak
oset i owies?

jako narzędzi do leczenia, ale są w stanie nawiązać z nimi pewnego rodzaju duchową więź. To nie jest nic dziwnego ani nadzwyczajnego.

Spróbuj kiedyś zatrzymać się w spokojnym miejscu. Tam, gdzie nie ma samochodów, gdzie nie słychać zgiełku miasta i gdzie ludzie nie bawią się przy grillu i piwie.

Stań sobie na łące albo w lesie, zamknij oczy.

Czy wiesz, że wszyscy jesteśmy częścią przyrody? Czy wiesz, że przynależymy do niej tak samo jak oset i owies? Czy wiesz, że przyroda posiada ogromną moc, która daje siłę innym formom życia, także ludziom?

Zobacz. Rośliny są dla nas pożywieniem. Gdyby nagle znikły wszystkie rośliny na Ziemi, natychmiast wyginęliby też ludzie. Jesteśmy z nimi związani i jesteśmy od nich zależni.

Gdyby dzisiaj z planety znikli wszyscy ludzie, dla roślin nie stanowiłoby to żadnego problemu. Wprost przeciwnie – mogłyby rosnąć bardziej swobodnie.

Ale gdyby zabrakło roślin, my nie moglibyśmy dalej żyć. Zabrakłoby dla nas tlenu, żywności i lekarstw.

Kiedyś dla ludzi to było oczywiste. Bez konieczności wyjaśniania co rośliny dla nas robią i dlaczego są ważne. Po prostu z domu wynosiło się instynktowny szacunek i wdzięczność dla przyrody, dzięki której żyjemy, oddychamy i jesteśmy zdrowi.

A potem ludzie zaczęli się coraz bardziej zamykać za betonowymi murami i produkować syntetyczne jedzenie.

I dlatego teraz tysiącami chorują na „choroby cywilizacyjne". A syntetyczna medycyna, którą stworzyli razem z betonem i fabrykami, jest wobec większości z tych chorób bezradna albo potrafi tylko zaleczyć objawy.

Bo prawdziwym lekarstwem jest twoje wewnętrzne dobro, spokój i poczucie równowagi. Kiedy wiesz, że jesteś częścią świata i szanujesz wszystkie jego formy – kwiatek, drzewo, muchę i tygrysa.

Kiedy szanujesz je nie na poziomie deklaracji, ale w codziennym życiu.

To znaczy, że nie depczesz niepotrzebnie po trawie, nie zrywasz bezmyślnie liści, pamiętasz o podlewaniu kwiatów, nie strzelasz do ptaków, nie zabijasz much, nie kupujesz mięsa z przemysłowych hodowli ani jajek od kur trzymanych w klatkach. Nie straszysz kota, dajesz pierwszeństwo żabie na ulicy, a kiedy jedziesz samochodem przez las, zwalniasz, żeby nie straszyć zwierząt.

I spróbuj pewnego dnia zatrzymać się na łące, polu albo w lesie. Podejdź do leszczyny, dębu albo czerwonego maku. Nie dotykaj, tylko stań obok i spróbuj poczuć to, co was łączy.

Serio, nie żartuję. To nie jest żadna magia ani czarowanie. Wszyscy jesteśmy powiązani ze sobą, bo znajdujemy się na jednej planecie, na której pojawiliśmy się dzięki zrządzeniu pewnej Wyższej Siły. Nie wiemy skąd przyszliśmy ani dokładnie po co. Tak samo jak nie wiemy dlaczego akurat zboże tak fantastycznie nadaje się do robienia chleba i nie wiemy w jaki cudowny sposób człowiek wpadł kiedyś na pomysł, żeby z kory cynamonowca zrobić proszek zwany cynamonem, który nie tylko ma niezwykły smak, ale i właściwości przeciwbakteryjne, więc używano go do leczenia ran po ukąszeniach węży, przeziębień i kłopotów z nerkami.

Wszyscy jesteśmy połączeni ze sobą. Wszyscy – jako formy życia istniejącego na Ziemi. To dlatego właśnie cynamon, piołun czy rumianek są w stanie wyleczyć różne choroby – bo są tak genialnie i idealnie kompatybilne z ludzkim organizmem.

Spróbuj to poczuć.

Zatrzymaj się. Stań obok żywej rośliny i poczekaj chwilę. W pierwszym momencie być może poczujesz, że ta roślina próbuje umknąć, cofnąć się przed tobą – bo nie wie jakie są twoje zamiary. Poczujesz niewidzialny mur, który was dzieli albo po prostu nie poczujesz nic.

Poczekaj chwilę. Nie ruszaj się, nie dotykaj rośliny. Tylko poczekaj i otwórz swój umysł. Tak, jakbyś był gotowy na to, żeby się z nią zaprzyjaźnić.

Wtedy poczujesz.

Poczujesz, że nie jesteś sam. Że jesteś fantastycznym, wspaniałym elementem świata, do którego świetnie pasujesz. Poczujesz jak rośnie twoje wewnętrzna moc. Poczujesz radość z tego, że żyjesz.

Wiesz dlaczego?

Bo nawiążesz połączenie ze światem przyrody, do którego cały należysz. Ludzie nie chcą o tym wiedzieć i bronią się przed tym. Zamykają się w domach ze stali i szkła, włączają sztuczne powietrze i sztuczne oświetlenie, jedzą sztuczne jedzenie i karmią się sztucznymi informacjami dostarczanymi przez środki masowego przekazu. I nie zdają sobie sprawy z tego, że więdną z dnia na dzień – dokładnie tak samo, jak zwiędłaby róża, którą z ogrodu przeniósłbyś do klimatyzowanego pokoju z jarzeniówkami.

Moim zdaniem epidemie współczesnych chorób wzięły się właśnie stąd, że w naszej zachodniej cywilizacji człowiek coraz bardziej usiłował oddalić się od natury. Zaczął jeść syntetyczne jedzenie z chemicznymi dodatkami, spędzać cały czas w sztucznym klimacie, sztucznym oświetleniu, betonie i hałasie miasta, zażywać syntetyczne lekarstwa, a wytchnienia i rozrywki szukać w syntetycznie wytwarzanym alkoholu.

Mechaniczny robot świetnie czułby się w takim otoczeniu. Ale człowiek jest żywym organizmem istniejącym zdrowo tylko w komplecie ze światem roślin i zwierząt, które zostały skonstruowane przez tego samego twórcę w oparciu o te same mechanizmy funkcjonujące na bazie żywych komórek.

Zdrowie, szczęście, poczucie równowagi i sensu nie powstają ze zdobyczy zgromadzonych w ramach syntetycznego świata stworzonego przez ludzi dla ludzi.

Zdrowie, szczęście, poczucie równowagi, sensu i wewnętrznej harmonii powstają wtedy, kiedy czujesz więź ze światem natury, której jesteś częścią.

Wiem, możesz złośliwie burknąć, że to nierealne, że to co piszę nie ma sensu, bo przecież nie da się rzucić pracy i przeprowadzić się do leśnej głuszy w Bieszczadach.

Ale ja przecież nie napisałam niczego takiego. Napisałam tylko, żebyś spróbował poczuć więź z przyrodą. W ogrodzie, na polu, łące albo w lesie. Tylko tyle. Otwórz swój umysł i pozwól sobie na bycie cząstką natury.

Tylko tyle.

Nie rzucaj pracy, nie przeprowadzaj się na wieś – chyba że to jest dokładnie to, o czym marzysz. Ale jeśli tego nie chcesz, nie musisz tego robić.

Spróbuj tylko DOSTRZEC jak bardzo jesteś uzależniony od świata przyrody, doceń ją i bądź jej za to wdzięczny.

Szanuj przyrodę w każdym jej najmniejszym przejawie – od muchy aż do słonia. Nie zrywaj czerwonych maków, pozwól im zostać na łące, bo one bardzo szybko umierają w niewoli.

ROZDZIAŁ 21

Zielnik domowy

Zdziwisz się. Te wszystkie małe rośliny, niepozorne krzaczki i to, co wydaje ci się niewiele znaczącym chwaścikiem w ogrodzie, polu, na łące czy w lesie to w rzeczywistości potężne lekarstwa na wszystko, co może ci dolegać.

Kiedyś ludzie korzystali tylko z takich naturalnych lekarstw. Starożytne systemy medycyny ajurwedyjskiej, chińskiej, tybetańskiej czy amazońskiej – i naszej polskiej medycyny naturalnej – opierają się właśnie na znajomości leczniczych roślin i wiedzy w jaki sposób dana roślina działa na ludzki organizm.

To genialna, fantastyczna wiedza! Kiedyś była dla ludzi czymś oczywistym i każdy wiedział jak wygląda babka zwyczajna i gdzie rośnie. Kiedy kogoś użądliła pszczoła, wystarczyło wysłać dziecko po liście babki na pole.

Nasz skromny
kochany rumianek
to prawdziwy
bohater ♡

Spróbuj dzisiaj wysłać kogoś po babkę. Pewnie pójdzie do sklepu i będzie szukał na półce ze słodkimi wypiekami.

Wiem, że świat się zmienił. I wiem, że dobrze jest mieć różne nowoczesne wynalazki. Nie namawiam do powrotu do czasów babki i dziurawca.

Chcę powiedzieć tylko tyle, że *wszystkie* rośliny, z którymi masz styczność na co dzień, w pewien określony sposób działają na ludzki organizm. Także warzywa, owoce i przyprawy. I chodzi tylko o to, żeby wzmacniać nimi swoją siłę.

Poniżej podam przykłady takich niesamowitych i niedocenianych roślin. Znasz je doskonale, ale pewnie nie wiedziałeś, że mają tak niezwykłą moc. Nie traktuj tego jako receptury do leczenia swoich dolegliwości, raczej jako ciekawostki albo pomysł na poszerzenie swojej wiedzy.

Jeżeli szukasz naturalnych sposobów leczenia, popytaj ludzi o sprawdzonego zielarza albo bioenergoterapeutę. Najlepiej takiego, który jest znany w i szanowany w okolicy. To ludzie, którzy mają wielką wiedzę i działają w zgodzie z naturą.

Babka zwyczajna i babka lancetowata

Liście babki pomagają w budowie i regeneracji skóry, więc były używane do leczenia skaleczeń, owrzodzeń, oparzeń, ukąszeń pszczół, skorpionów i węży, ale także zwichnięć i złamań kości.

Sokiem i naparem leczono biegunkę i zapalenie pęcherza moczowego, zapalenie ucha i spojówek, chrypkę, duszący kaszel, gorączkę, infekcje i rozmaite zatrucia, bo ma działanie oczyszczające z toksyn.

Pietruszka

Tak, nasz doskonale znany korzeń pietruszki też jest lekarstwem. Zalecano go na obniżenie gorączki, zapalenia pęcherza moczowego, reumatyzm i przeziębienie. Wzmacnia kości, pobudza pracę macicy, więc był używany do wywoływania menstruacji, ale też do wymuszania poronienia.

Marchewka

Od starożytności zalecano ją dla wzmocnienia serca i poprawienia wzroku. Współczesna medycyna potwierdziła, że marchew zawiera prowitaminę A, z której powstaje retinol wspomagający komórki odpowiedzialne za dobre widzenie.

Mogę to potwierdzić z własnego doświadczenia. Odkąd zaczęłam się karmić tylko zdrowym jedzeniem, poprawił mi się wzrok! Pewnie dlatego, że od kilku lat prawie codziennie zjadam surową marchew. I stało się to trochę przez przypadek, bo ja często gotuję dania z dodatkiem marchwi. Ale zawsze kiedy ją obierałam do gotowania, miałam na nią ogromną ochotę, więc po pewnym czasie zaczęłam kupować podwójne ilości marchwi – jedną do gotowania, jedną do zjedzenia na surowo. Bo taka świeża, zdrowa marchewka jest naprawdę pyszna! I po pewnym czasie zauważyłam, że mam lepszy wzrok.

Żurawina

Ma naturalne właściwości przeciwbakteryjne, szczególnie w przypadku bakterii wywołujących zapalenia pęcherza moczowego. Także takich, które są oporne na syntetyczne antybiotyki, bo naturalne substancje zawarte w żurawinie nie zabijają bakterii, tylko uniemożliwiają im przyczepienie się do tkanek. Bakterie ześlizgują się i zostają wypłukane z organizmu.

Żurawina zapobiega chorobom zębów i dziąseł, wzmacnia serce i komórki, oczyszcza naczynia krwionośne.

Żurawinę zalecano nie tylko do leczenia, ale też profilaktycznie, żeby wzmocnić układ moczowy, krwionośny i odpornościowy.

Przypomnę tylko, że najlepsze i zdrowe jest to, co jest *naturalne*, a nie przetworzone w chemicznej fabryce leków.

Imbir

To najbardziej skuteczny lek na chorobę morską i lokomocyjną. Wystarczy zjeść mały kawałek świeżego imbiru przed wyruszeniem w drogę. Od kilku tysięcy lat stosowano go na powstrzymanie nudności, także tych związanych z ciążą i złym trawieniem.

Imbiru używano też do leczenia gorączki, tężca, trądu, grypy, przeziębienia, niestrawności i artretyzmu. Ma działanie przeciwbólowe, obniża gorączkę i pomaga na kaszel, chroni przed rakiem, wzmacnia odporność.

Działa przeciwzapalnie, więc był używany do leczenia reumatyzmu i artretyzmu. Jeśli masz kłopoty ze stawami, spróbuj dodać do codziennego jedzenia odrobiny świeżego albo suszonego imbiru. Widziałam wyniki badań prowadzonych w USA z osobami cierpiącymi na puchnące i obolałe kolana. Po sześciu miesiącach u wszystkich stwierdzono poprawę.

Czosnek

Naturalny antybiotyk, silniejszy niż wiele syntetycznych lekarstw. Ma też od dużo szersze działanie, bo zwykłe antybiotyki działają tylko na bakterie, a czosnek jest skuteczny w przypadku infekcji wywołanych nie tylko przez bakterie, ale także wirusy i pasożyty.

Przypomnę, że współczesna nauka nie wynalazła jeszcze żadnych syntetycznych lekarstw przeciwko wirusom. Dlatego konwencjonalna medycyna jest bezradna wobec wirusa HIV czy Ebola. A medycyna naturalna potrafi sobie z nimi poradzić.

Czosnek był używany do leczenia zapalenia zatok, przeziębień, grypy, chorób górnych dróg oddechowych i astmy, kaszlu, duszności, pasożytów i grzybic. Poprawia trawienie, obniża poziom złego cholesterolu, dobrze wpływa na krążenie krwi.

Jego przeciwbakteryjne właściwości były też wykorzystywane do ochrony ran przed zakażeniem. Przykładano do nich sok wyciśnięty z czosnku wymieszany z wodą.

Rumianek

Nasz zwykły, skromny, kochany rumianek to prawdziwy bohater. Starożytni Egipcjanie używali go do leczenia malarii. W dawnej Polsce używano go leczenia niestrawności i ochrony przed wrzodami żołądka.

Rumianek działa przeciwbólowo i rozluźniająco, więc łagodzi kolkę, ból głowy, żołądka, gardła, zębów, napięcie nerwowe i uspokaja. Obniża gorączkę. Wdychanie oparów gorącego naparu rumiankowego pomaga na astmę, zapalenie zatok i katar.

Napar z rumianku działa bakteriobójczo i pomaga w leczeniu różnych uszkodzeń skóry – skaleczeń, obrzęków, ale także w bakteryjnych infekcjach oczu i grzybicach.

Napar z rumianku wygładza cerę i nadaje włosom jedwabistego blasku. Wystarczy suszony rumianek ugotować w niewielkiej ilości wody, ostudzić i używać do mycia twarzy i płukania włosów.

Krwawnik

Pewnie myślisz, że nie wiesz jak wygląda krwawnik, chociaż widziałeś go wiele razy na łące. To dość wysoka pojedyncza zielona łodyga z małymi listkami, a na samej górze jest skupisko malutkich biało-żółtych kwiatków zebranych w baldachim.

Nazwa tej rośliny jest nieprzypadkowa. Ma właściwości hamujące krwawienie.

Pomaga oczyścić organizm z toksyn i nieczystości.
Poprawia apetyt i przemianę materii.
Działa dezynfekująco i przeciwzapalnie na skórę, przyśpiesza gojenie.

Piołun

Naturalny środek przeciw owadom i pasożytom. Odstrasza muchy, komary, meszki, pchły, myszy, a także larwy owadów niszczące rośliny uprawne. Wystarczy postawić donicę z piołunem na parapecie okna, w pobliżu stołu albo łóżka.

W medycynie ludowej był używany do usuwania pasożytów.

Piołunu używa się też do leczenia szkorbutu, malarii, reumatyzmu, gruźlicy i AIDS.

Wzmacnia, pobudza apetyt.

ROZDZIAŁ 22

Żywność funkcjonalna

Wiele lat temu w angielskiej prasie znalazłam artykuł pod sensacyjnym tytułem: „Najzdrowsze danie świata!". Opracowane przez kucharzy wspólnie z naukowcami i skomponowane wyłącznie z żywności funkcjonalnej.

Wtedy jeszcze nie rozumiałam wiele, bo nie używałam własnego umysłu. Jeśli coś było napisane w gazecie i opracowane przez naukowców, to na pewno było właściwe, mądre i warte powtarzania.

Tak mi się wtedy wydawało. Nawet nie przyszłoby mi wtedy do głowy, żeby zastanowić się moimi zdrowymi myślami czy to, co jest napisane w gazecie, ma sens. Być może dlatego, że nie miałam wtedy jeszcze zdrowych myśli.

Wyniki badań amerykańskich naukowców były dla mojego umysłu tym samym, co hamburger w porze obiadu.

Dostarczały mi szybkiej, łatwej, taniej pożywki, z której nic nie wynikało. To była śmieciowa informacja, rzucona na pożarcie bezmyślnych, znudzonych umysłów poszukujących czegoś, co je poruszy.

Z hamburgerem jest tak samo. To tania, szybka, śmieciowa porcja przemysłowo produkowanego jedzenia, które nie dostarcza organizmowi żadnych wartościowych składników, z których mógłby budować swoje kości, mózg, komórki i wewnętrzną siłę.

Natknęłam się więc na artykuł o najzdrowszym daniu świata. Pomyślałam:

– Och, jakie to cudowne! Będę sobie tak gotować!

A teraz pokażę ci jak to „najzdrowsze danie świata" w rzeczywistości jest wielkim śmieciowym nieporozumieniem.

Najdziwniejsze w tym wszystkim wydaje mi się to, że kiedyś natychmiast i bez żadnych wątpliwości uwierzyłam w to, że jest zdrowe. Bo było poparte naukowymi badaniami. Kiedy przeczytałam, że zostało opracowane przez naukowców, wyłączyłam myślenie.

I otóż naukowcy z amerykańskiego uniwersytetu w.... (nieważne gdzie, możesz sobie wstawić dowolne miasto) wpadli na pomysł, żeby stworzyć danie zrobione wyłącznie z żywności funkcjonalnej.

Tu się zatrzymam.

Żywność funkcjonalna to jedno z najmodniejszych określeń XXI wieku. Oznacza taką żywność, która oprócz

Żywność funkcjonalna dostarcza energii i pełni dodatkowe funkcje zdrowotne

dostarczania energii, spełnia też dodatkowe funkcje zdrowotne – psychiczne albo fizjologiczne. Czyli, mówiąc inaczej, żywność funkcjonalna to jest coś takiego, co po zjedzeniu na przykład obniża cholesterol, poprawia trawienie albo nastrój.

Oczywiście to naukowcy decydują o tym co można zaliczyć do żywności funkcjonalnej, a co nie, bo zależy to od tego co zbadali i jakie udało im się wyciągnąć wnioski.

I tu leży pierwsza pułapka takiego myślenia. I nie ostatnia. Streszczę to do maksymalnie najkrótszego zdania, które zawiera w sobie wszystko, co należy wiedzieć o żywności funkcjonalnej, uwaga:

Żywność funkcjonalna to cała żywność stworzona dla nas przez naturę. Pod warunkiem, że jesz ją w prostej, naturalnej postaci.

Czyli wszystko, co zostało dla nas stworzone do jedzenia, jest żywnością funkcjonalną, która ma wpływ na działanie wszystkich części ludzkiego ciała, umysłu i duszy. Każda marchewka, kapusta, pieprz, czereśnia, cukinia, ziemniak, słonecznik, migdał, pstrąg, proso, gryka, jabłko, rumianek, rozmaryn, cynamon, żyto, pistacja, pomidor, szczypiorek, truskawka, jagoda i brokuł – to wszystko jest żywność funkcjonalna.

Ale uwaga. **Ona jest funkcjonalna, zdrowa, wspierająca i działająca korzystanie na ludzki organizm tylko wtedy, kiedy jest w swojej naturalnej postaci albo minimalnie przetworzona.**

Jest funkcjonalna kiedy zjesz ją na surowo albo po krótkim gotowaniu z niewielką ilością naturalnych przypraw.

Przestaje być funkcjonalna kiedy dodasz do niej syntetycznych substancji, przemielisz w maszynach, wciśniesz w puszki albo kartony z dodatkiem chemicznych proszków nadających jej sztucznie długie życie.

Rozumiesz?

Ludzkość od tysięcy lat żyje na naszej planecie tylko dlatego, że Ziemia dostarcza nam żywności funkcjonalnej. Czyli takiej, która utrzymuje nas przy życiu i w zdrowiu. A raczej utrzymywała – do chwili, kiedy człowiek XX wieku zaczął ją „polepszać", czyli mieszać z chemicznymi dodatkami i modyfikować genetycznie.

Wiesz na czym w rzeczywistości polegało to, co naukowcy nazywali „polepszaniem, wzbogacaniem i uszlachetnianiem" żywności? Chodziło o to, żeby można było szybciej zbierać ją z pola, łatwiej obierać, dłużej przechowywać, więcej i taniej sprzedawać. Czyli chodziło o to, żeby ludziom wygodniej było zarabiać na niej pieniądze.

Zobacz. Prawdziwy, normalny pomidor po zerwaniu z krzaka dość szybko traci jędrność i blask. Po dwudziestu czterech godzinach robi się miękki, matowy i mniej atrakcyjny. To nie przypadek. Natura tak to właśnie wymyśliła, żeby informować nas w ten sposób o tym kiedy ten pomidor jest najlepszy i najzdrowszy do zjedzenia.

Dopóki pomidor rośnie na krzaku, żyje. Przez łodygi i gałązki dostaje wodę i pożywienie. Oddycha, rośnie, reaguje na otoczenie.

Kiedy zerwiesz pomidor z krzaka, odcinasz go od jego źródła życia.

Jeszcze przez pewien czas zachowuje świeżość i pełne zdrowie. A potem powoli staje się coraz bardziej nieżywy. Traci blask na skórce, a miąższ robi się coraz bardziej miękki, opadający, tak jakby miał ochotę położyć się płasko na wznak i już nie wstawać.

To jest jasna i wyraźna informacja o tym, że ten pomidor ma coraz mniej życia, coraz mniej siły, czyli jednocześnie coraz mniej pożytecznych wartości odżywczych dla człowieka.

No ale zobacz. Ogrodnik zrywa pomidory w poniedziałek, we wtorek zawozi je do skupu. W skupie w środę pakują je do skrzynek, w czwartek zawożą na targ. W piątek pomidory trafiają do sklepów.

Minęły cztery dni! A pomidor nie czeka. Więdnie sobie zgodnie z nakazami natury, żeby przekazać potencjalnemu klientowi prawdziwą informację o stanie swojego zdrowia i życia.

Kupiłbyś takiego pomidora? Miękkiego, z zapadniętymi bokami i bez blasku na skórce? Pewnie nie.

W tej sytuacji są co najmniej trzy możliwe rozwiązania:

1. przestaniemy sprzedawać pomidory w sklepie
2. każdy sam będzie sobie hodował pomidory i zrywał je do jedzenia prosto z krzaka
3. wszczepimy pomidorom gen twardości.

Pewnie myślisz, że żartuję.
Nie, to nie jest żart.

Naukowcy wszczepili pomidorom gen twardości, żeby dłużej wyglądał jak świeży. To nie zmienia jego wewnętrznego więdnięcia i umierania. Ty tylko zmienia wygląd jego skórki, żeby ładniej wyglądał i żebyś miał ochotę go kupić.

Mam mówić dalej?

Ludzie pojawili się na świecie razem z kompletem rzeczy, które miały zapewnić im zdrowie i życie, a naszymi opiekunami, żywicielami i lekarzami są rośliny.

Człowiek dość szybko zorientował się w jaki sposób przyrządzać z roślin pożywienie, lekarstwa, schronienie i odzież. Żyliśmy sobie w harmonii ze światem do czasu, kiedy pojawiły się pieniądze i nagle ludzie ulegli dziwnej chorobie, żeby „mieć więcej".

Nieważne jak dużo. Byle więcej. Bo „więcej" kojarzyło się z zapewnieniem sobie dobrobytu na przyszłość, czyli dawało poczucie bezpieczeństwa.

A potem nasza zachodnia cywilizacja zupełnie zwariowała na punkcie pieniędzy. Nic już się nie liczyło z wyjątkiem zdobycia „więcej" dla siebie i dla wszystkich dookoła. Wtedy ludzie zaczęli genetycznie modyfikować rośliny, żeby szybciej rosły, były bardziej odporne, ładniejsze, dawały większe plony, lepiej znosiły transport i długie magazynowanie.

Naruszyli w ten sposób ich naturalną wewnętrzną harmonię i integralność zaprojektowaną przez samą Naturę.

Potem opracowano tysiące chemicznych mikstur, które można było tanio i szybko dorzucić do przemysłowo produkowanej żywności, żeby była jeszcze tańsza, ładniej wyglądała i długo wyglądała na świeżą, mimo że w środku dawno już jest martwa.

I wtedy żywność przestała nas karmić i utrzymywać w zdrowiu. To był początek dzisiejszej epidemii nowotworów, chorób serca, depresji, autyzmu, otyłości i niewydolności różnych wewnętrznych układów i narządów.

Tak, wiem, pisałam o tym wcześniej. Ale za każdym razem kiedy to piszę, mam nadzieję, że wreszcie to zrozumiesz nie tylko głową, ale i sercem.

Nie tylko, że pokiwasz głową i pomyślisz, że wiesz, ale tak, żebyś zastosował tę wiedzę w swoim codziennym życiu.

Więc tak.

Cała żywność pochodząca ze świata natury, niezmodyfikowana przez człowieka i bez dodatków chemicznych, to żywność funkcjonalna. Bo tak została zaprojektowana przez Naturę. Żeby nas żywić, leczyć i wzmacniać.

Żywność staje się szkodliwa, niezdrowa i pozbawiona swojej naturalnej mocy w tym większym stopniu, im bardziej zostaje zmieniona i przetworzona przez człowieka z dodatkiem nienaturalnych, syntetycznych substancji.

Jeśli chcesz być zdrowy i silny, jedz to, co natura przeznaczyła dla nas do jedzenia, czyli żywność jak

najbardziej funkcjonalną – zboża, warzywa i owoce w ich naturalnej postaci po możliwie jak najkrótszym gotowaniu.

Jeśli chcesz być chory i bez sił, jedz to, co ludzie przygotowali dla ludzi, czyli żywność produkowaną w fabrykach, przemieloną, sproszkowaną, zapakowaną w puszki i kartony, z dodatkiem kwasu cytrynowego, słodzików, barwników, aromatów, stabilizatorów, regulatorów, glutaminianu sodu, antyzbrylaczy i innych sztucznych substancji.

A teraz wracam do „najzdrowszego dania świata".

ROZDZIAŁ 23

Najzdrowsze danie świata

„Przepis na zdrowie: kucharz gotuje danie zwalczające raka" – tak się zaczynał ten sensacyjny artykuł, opublikowany w wielu różnych gazetach świata. Na zdjęciu – nie bardzo apetyczne kawałki mięsa w brunatnym sosie obok żółtego ryżu. Czytam dalej:

Jedna porcja tego dania zawiera tyle samo prozdrowotnych antyoksydantów, co 49 talerzy szpinaku, 23 kiście winogron lub 9 porcji brokułów. Jak by tego było mało, jego koszt wynosi jedynie 2.50 funta za porcję. Kucharz, który ją wymyślił, jest z zawodu dietetykiem, i spędził dwa lata na ulepszaniu receptury. Jak mówi:

– Danie curry, które wymyśliłem, jest pełne zdrowych składników, które – jeśli będą jedzone regularnie – mogą zadać powalający cios wielu chorobom.

Pomysł kucharza był prosty. Postanowił skomponować swoje danie wyłącznie z takich składników, które naukowcy uważają za „żywność funkcjonalną", czyli pełniącą funkcję lekarstwa.

Pominę na razie fakt, że CAŁA naturalna żywność na świecie – od ogórka przez żyto aż po macierzankę – jest żywnością funkcjonalną, czyli nas leczy i chroni przed chorobami.

Tego naukowcy po prostu jeszcze nie zbadali. Na razie więc zajmują się wybranymi, pojedynczymi składnikami, rozcinają je na części pierwsze, kładą pod mikroskopem, robią doświadczenia i piszą swoje prace doktorskie. A potem ogłaszają, że czarne jagody to żywność funkcjonalna, ponieważ „chroni przed nowotworem i powstrzymuje lepkie proteiny, które zatykają mózg w chorobie Alzheimera".

Nasze babcie dawno o tym wiedziały. To znaczy nie znały się na proteinach ani aminokwasach, ale doskonale wiedziały których ziół trzeba dodać do gotowania albo pieczenia chleba, żeby każdy posiłek był jednocześnie pożywieniem, chronił przed chorobami i leczył choroby.

Kucharz wpadł więc na pomysł, żeby wykorzystać w swoim daniu tylko takie składniki, które naukowo, oficjalnie zostały uznane za lecznicze.

Wspaniale.

Użył więc czarnych jagód (bo chronią przed rakiem i chorobą Alzheimera), himalajskich jagód goji (bo mają bardzo dużo witaminy A, C i żelaza), kurkumy (chroni serce, mózg i stawy), papryki chili (ma działanie przeciwbólowe), przypraw o zbadanych właściwościach przeciwbakteryjnych i przeciwwirusowych, a także pierś kurczaka (bo jest „niskotłuszczowa i niskokaloryczna") oraz białego ryżu.

I tu właściwie kończy się zdrowie tego zdrowego przepisu. Kurczak kiedyś był rzeczywiście źródłem chudego mięsa – kiedy biegał po podwórku i szukał gąsienic do zjedzenia. Od czasu kiedy kury zostały zamknięte w przemysłowych hodowlach, są karmione syntetycznymi paszami, które obzmuszają je do jak najszybszego przybierania wagi i obrastania w tłuszcz. Bo ciężki kurczak wyhodowany w 30 dni przynosi więcej pieniędzy niż szczupły kurczak, który zgodnie z rytmem natury potrzebuje 100 dni na wyrośnięcie. Dzisiejsze kurze mięso sprzedawane w sklepach jest równie tłuste – a czasem nawet bardziej – niż wołowina.

Biały ryż jest sztucznie wybielony i „oczyszczony" ze wszystkich swoich zdrowotnych właściwości. Naturalny, brązowy ryż szybko się psuje i wymaga specjalnych warunków przechowywania, więc jest dla producentów nieopłacalny. Dlatego mechanicznie odzierają go ze zdrowej łupiny, wygładzają gipsem i wybielają. Biały ryż ma 5% zdrowych składników zawartych w brązowym ryżu.

W dodatku ten biały ryż w „najzdrowszym przepisie świata" zaleca się ugotować w kuchence mikrofalowej. *4 minuty w 700 W, 3,5 minuty w 800W albo 3 minuty w 900 W. Wymieszać, potem gotować przez następne 4 minuty w 700 W, 3,5 minuty w 800 W albo 3 minuty w 900 W. Następnie przykryć pojemnik z ryżem i gotować w mikrofalówce jeszcze przez 4 minuty w 700 W, 3,5 minuty w 800 W albo 3 minuty w 900 W.*

Kurczak rzeczywiście
był kiedyś zdrowy –
kiedy biegał po podwórku
i łapał gąsienice.

Przypomnę, że kuchenka mikrofalowa zabija jedzenie. Rozrywa je od wewnątrz jak szalony huragan, który zostawia po sobie tylko zgliszcza. Czyli najzdrowszą i najświeższą rzecz zamienia w martwe, wewnętrznie zdruzgotane ciało, które nie wnosi do twojego organizmu niczego pożytecznego. Niczego, co mogłoby zostać przez twoje komórki wykorzystane do budowania wewnętrznej struktury twojego organizmu.

Wtedy jednak zupełnie nie zdawałam sobie z tego sprawy. Zobaczyłam atrakcyjny tytuł w gazecie, zdjęcie kucharza trzymającego w dłoniach danie, nad którym pracował przez dwa lata, i pomyślałam, że ja też chcę być zdrowa, więc codziennie będę to danie gotować.

Kupiłam w supermarkecie pierś z kurczaka, suszone jagody goji, mrożony groszek i mrożone jagody. Ugotowałam zgodnie z przepisem. Zjadłam. I jakoś nigdy więcej nie miałam na to danie ochoty. I nigdy więcej już go nie zrobiłam. I słusznie, chociaż dopiero kilka lat później zrozumiałam dlaczego.

Nauczyłam się myśleć. Zaczęłam się interesować z czego jest zrobione gotowe jedzenie sprzedawane w sklepach i w jaki sposób. Zrozumiałam na jakiej zasadzie działa kuchenka mikrofalowa i jaki to ma wpływ na ludzkie ciało oraz na jedzenie w niej przyrządzane. Sprawdziłam w jaki sposób działa ludzki organizm, co to są komórki, co robią i jak żyją.

I tak odkryłam kosmicznie zaskakujące rzeczy. I całkowicie zmieniłam sposób myślenia o jedzeniu i zdrowiu.

Kiedyś kupowałam marchewkowe czipsy reklamowane jako zdrowe i bogate źródło potrzebnego beta-karotenu. Zgoda, beta-karoten jest super. To ten, który wzmacnia oczy i skórę. Ale halo! Najlepszym źródłem beta-karotenu wcale nie są czipsy marchewkowe, tylko marchewka!!!

Marchew jest tak skonstruowana przez naturę, że ma wszystko w idealnie właściwych proporcjach. Oprócz beta-karotenu i witamin, które naukowcy są w stanie dostrzec i opisać, ma też mnóstwo innych tajemniczych składników, o których nauka nie ma pojęcia, bo nie posiada jeszcze narzędzi, które mogłyby to zbadać. I cała ta marchewka ze wszystkim, co się w niej znajduje, jest zdrowa, pyszna i pożywna.

Czipsy marchewkowe z foliowej torebki to zupełnie inna sprawa. Przemielone, nie wiadomo w jaki sposób wysuszone, z czym wymieszane, czym pryskane, jak pieczone. Nic nie wiadomo. Z wyjątkiem tego, że z całą pewnością zostały zrobione w fabryce przez maszyny. To nie może być zdrowe.

Tak samo jak kiedyś kupowałam soki owocowe w kartonach, szczególnie te, na których było napisane, że zawierają zdrowe witaminy.

Wolałam kupić sok pomarańczowy w kartonie niż dwie pomarańcze. Dlaczego? Bo sok był gotowy, miał takie ładne obrazki na opakowaniu i był łatwy w użyciu. Wystarczy odkręcić i pić. A pomarańczę trzeba obrać, wycisnąć, a potem jeszcze trzeba umyć wyciskarkę i posprzątać blat opryskany sokiem.

Myślałam, że w naszym fajnym nowoczesnym świecie sklep tak o mnie dba, żebym nie musiała sama wyciskać soku. I byłam bez zastanowienia przekonana o tym, że ten sok w kartonie to jest prawie to samo co sok wyciśnięty z owoców.

No a jest dokładnie odwrotnie. Sok w kartonie ma się tak samo do soku ze świeżych owoców jak frytka do ziemniaka. Albo jak czips marchewkowy w porównaniu ze świeżą marchewką. Jest to prostu wysokoprzetworzona, mechanicznie wyprodukowana w fabryce rzecz, do której dodano wiele różnych syntetycznych substancji nadających jej sztuczny smak, zapach, kolor, wygląd, odbierając jej jednocześnie naturalne, zdrowotne właściwości.

I tylko tyle chciałam powiedzieć.

Jedz marchewkę zamiast czipsów marchewkowych.

Jedz owsiankę własnoręcznie ugotowaną na wodzie z grubych płatków owsianych i rodzynek zamiast sklepowego zestawu płatków śniadaniowych z chemią w gotowej torebce.

Wypij wodę z kilkoma plastrami pomarańczy zamiast soku z kartonu albo zainwestuj w wyciskarkę soku z owoców.

Wszystkie naturalne produkty żywnościowe – w takim kształcie, jak zostały przygotowane przez naturę – to żywność funkcjonalna, która nas leczy i chroni przed chorobami.

Od marchewki przez truskawki, dynię, rumianek i cynamon aż po pełnoziarnistą mąkę, brązowy ryż i kasze.

Im mniej przetworzone, tym lepiej.

Ale jeśli przetworzone, to tylko twoimi rękami. Nigdy z fabryki. Bo fabryka zabija w nich to, co najlepsze i najzdrowsze.

ROZDZIAŁ 24

Jabłka

Była przepiękna. Wysoka, smukła, o długich, falujących włosach, ubrana w jasną szatę. Miała na imię „Zawsze Młoda", czyli Idun. I naprawdę była młoda od zawsze aż po wieczność. Nikt nie pytał ile ma lat, bo było to zupełnie bez znaczenia.

Nie tylko dlatego, że przypisywanie ludziom określonego stanu na podstawie liczby lat minionych w kalendarzu jest bez sensu. Jeśli uwierzysz, że po trzydziestce twój organizm zaczyna się starzeć, będziesz pewnie czuł strach przed tym, że stracisz urodę, przyjaciół i miłość. Ten strach może zamienić się w stan przedłużonego stresu, który obniża naturalną zdolność twojego organizmu do regeneracji i obrony przed zagrożeniami, przez co rzeczywiście całe twoje ciało zmieni wygląd na bardziej zmęczony, utrudzony, wyczerpany.

Spojrzysz w lustro i powiesz:

– No tak! Jestem po trzydziestce! Coraz gorzej wyglądam! To starość!

Wtedy jeszcze bardziej się zestresujesz, jeszcze mocniej przywiążesz się do negatywnych myśli i strachu, które w konsekwencji jeszcze bardziej obniżą stan twojej wewnętrznej mocy i równowagi. Być może zaczniesz mieć problemy z trawieniem, poruszaniem nogami, bólami głowy.

– No tak – pomyślisz – jestem już po trzydziestce! To nieuniknione! To droga prosto do śmierci! I z każdym dniem będzie coraz gorzej!

I pewnie będzie.

Ale nie dlatego, że jesteś po trzydziestce, tylko dlatego, że tak działa na twój organizm stres, katastroficzne nastawienie, martwienie się na zapas i strach.

Idun była piękna i wiecznie młoda. Chodziła po niebiańskich ogrodach z koszykiem uplecionym z jesionowych gałązek, w którym miała owoce. Takie, które były źródłem młodości dla wszystkich bogów.

Tymi owocami były jabłka. Tak mówi jedna z legend mitologii skandynawskiej.

Jest jeszcze jedna legenda o nimfach, które mieszkały w ogrodzie na zachodnim krańcu świata. Miały w nim jedno wyjątkowe drzewo o złotych jabłkach, które były tak cenne, że pilnował ich stugłowy smok. Były cenne dlatego, że dawały nieśmiertelność.

Myślę, że to nie przypadek.

Jabłka były
źródłem wiecznej
młodości dla bogów

Ale prawdę mówiąc nie zdawałam sobie z tego sprawy do czasu, kiedy zaczęłam podróżować. Nie dlatego, że daleko w świecie odkryłam niezwykłą obfitość jabłek. Wprost przeciwnie. Nagle zrozumiałam co oznacza ich brak i jakimi jesteśmy niesamowitymi szczęściarzami, że mamy je na co dzień, i w dodatku w tylu fantastycznych odmianach, jak w żadnym innym kraju!

Kiedyś na Kubie spotkałam Anglika, który kończył właśnie roczną podróż dookoła świata. Pewnego dnia usiadł i westchnął. Tak głęboko, z głębi serca. Od razu wiedziałam, że za kimś tęskni. Za narzeczoną? Młodszą siostrą? Za rodzicami?

– Wiesz – zagadnął Gavin stłumionym ze wzruszenia głosem. – Wiesz o czym teraz najbardziej marzę?

– Że wrócisz do swojego domu, usiądziesz w ulubionym miejscu i... – zawahałam się.

– I zjem prawdziwe, angielskie jabłko – wtrącił Gavin.

– O! – sapnęłam.

Przyznaję, mi też zdarzyło się parę razy marzyć o cudownym, polskim, dojrzałym, soczystym, słodkim...

– Bo wiesz, my w Anglii mamy aż trzy odmiany jabłek! – znów przerwał mi Gavin i spojrzał na mnie z pewną wyższością.

– Aż... TRZY? – upewniłam się czy dobrze usłyszałam.

– Tak! – przytaknął z dumą. – Aż trzy! Mamy *Granny Smith*, *Golden Delicious* i *Royal Gala!*

Zatkało mnie, więc chwilowo nic nie mówiłam, a Gavin znów rzucił mi takie spojrzenie, jakby siedział na słoniu, a ja byłabym mrówką u jego stóp.

– A wiesz jaka jest między nimi różnica? – dodał.

– Jasne, że wiem!

W temacie jabłek akurat jestem dobrze przygotowana, bo interesuję się nimi na co dzień.

– *Granny Smith* jest zielone, kwaskowate i twarde, *Golden Delicious* jest żółte, ma na dole trochę wydłużony kształt i jest bardzo słodkie, a *Royal Gala* jest mała, czerwona, twarda, soczysta i słodka.

– No, owszem – zgodził się uprzejmie Gavin. – A ty, którą odmianę z tych trzech najbardziej lubisz?

Zaczęłam się śmiać. Wybuchłam śmiechem, który już od pewnego czasu we mnie się wzbierał jak letnia burza, która powoli nadchodzi przez pola, żeby w końcu jak szalona przetoczyć się przez ogrody, potargać drzewa i oblać róże srebrzystym wodospadem.

Gavin milczał majestatycznie, prawdopodobnie zatopiony w swoich jabłkowych marzeniach.

– Takie czerwone, świeże, twarde – powiedział w końcu i mlasnął. – Takie jabłko śni mi się czasami po nocach, bo wiesz, ja chyba od roku nie jadłem dobrych jabłek. Takich, jakie mamy w Anglii!

– Jeżeli naprawdę chcesz spróbować dobrych jabłek, musisz przyjechać do Polski! – zawołałam. – My mamy sto odmian jabłek!

– Sto? – powtórzył z powątpiewaniem.

Był pewien, że przesadzam.

– Dużo więcej niż sto – poprawiłam się. – Jestem tego pewna.

– Więcej niż sto?... – Gavin pokręcił głową z niedowierzaniem.

– Tak! Polska jest największym jabłkowym królestwem na świecie!

– No coś ty.

– Mówię ci!

– Żartujesz.

– Mówię ci! Przyjedź, sam zobaczysz!

I naprawdę nie przesadzam.

Mamy w Polsce niezwykłe, niespotykane w innych krajach odmiany jabłek. I naprawdę jest ich ogromnie dużo. Dużo, dużo więcej niż mieszkańcy innych państw mogliby sobie wyobrazić.

Nie dziwię się, że Gavin był zdumiony. To tak samo, jakby ktoś powiedział przeciętnemu Polakowi, że gdzieś na świecie jest kilkadziesiąt odmian bananów. Że mają różne kolory, inaczej smakują, mają trochę inny kształt i inne zastosowanie.

– Banany??... – odpowiedziałby Polak ze zdumieniem. – No ale jak banan może być inny? Przecież banan jest zawsze żółty i podłużny, nie?

No właśnie nie.

I z jabłkami jest tak samo.

Mieszkańcowi kraju, gdzie w sklepie do wyboru są trzy odmiany jabłek – zielona, żółta i czerwona – trudno sobie wyobrazić, że samych czerwonych jabłek może być pięćdziesiąt różnych gatunków.

A z drugiej strony – Polakowi wychowanemu na jabłeczniku z cynamonem, naleśnikach z jabłkami, racuchach jabłkowych, kompocie z jabłek, soku jabłkowym, papierówkach na wiosnę i nieskończonej obfitości jabłek jesienią, trudno sobie wyobrazić życie bez jabłek.

Tego właśnie doświadczyłam w Ameryce Południowej podczas pierwszych długich wypraw. Marzyłam o zwykłym, polskim, pysznym jabłku. Zajadałam się dojrzałymi ananasami, papajami i owocami mango, ale czasem chciałam tylko zwykłe jabłko. Czułam, że pomogłoby mi na niespokojny żołądek, uspokoiło myśli, nasyciło, orzeźwiło, dodało siły.

Ale jabłek nie było.

I tak właśnie nauczyłam się szacunku i podziwu do tych owoców. Bo dopiero kiedy je straciłam, zrozumiałam jak bardzo były mi potrzebne.

I jabłka naprawdę mają nadzwyczajne właściwości.

Jabłka

- **regulują poziom cukru w krwi,**
- **chronią przed chorobami serca,**
- **dają poczucie sytości, więc pośrednio chronią przed otyłością. Jeśli zjesz jabłko (umyte, ze skórką) dwadzieścia minut przed posiłkiem, najprawdopodobniej szybciej poczujesz się najedzony i w konsekwencji mniej zjesz,**
- **poprawiają trawienie,**
- **zmniejszają ryzyko zachorowania na astmę, raka płuc, odbytu i piersi,**
- **mają pozytywy wpływ na zdrowie oczu,**
- **powstrzymują rozwój chorób układu nerwowego.**

Angielskie przysłowie mówi *An apple a day keeps doctor away,* czyli „jedno jabłko dziennie zastąpi ci lekarza".

Zjadaj jabłka ze skórką, bo jest w niej najwięcej pożytecznych składników.

ROZDZIAŁ 25

Soki owocowe

Podróżowanie zmieniło moje życie. Podczas ciężkich i niebezpiecznych wypraw przez dżunglę zrozumiałam to, co uważam dzisiaj za najważniejsze. Od Indian nauczyłam się odwagi, siły i wewnętrznego spokoju. Odkryłam najcudowniejsze miejsca. Nie tylko na różnych kontynentach, także w mojej własnej duszy.

I ciągle się zdumiewałam.

Podczas pierwszej wyprawy do Ameryki Południowej wiele lat temu odkryłam owoce. A najdziwniejsze było to, że wszyscy je jedli – dorośli i dzieci. Codziennie i wszędzie.

Na skrzyżowaniach ulic czekali wędrowni sprzedawcy bananów, mandarynek albo gotowych porcji umytych, obranych i pokrojonych owoców do natychmiastowego zjedzenia. Wychodzili na jezdnie na czerwonym świetle i sprzedawali je kierowcom. A kierowcy chętnie otwierali okna, wystawiali ręce i kupowali! Żeby od razu zjeść drewnianą wykałaczką kawałki zimnego arbuza z papają i ananasem.

Wyobrażasz sobie coś takiego w Polsce?
Nawet kiedy jest szczyt sezonu na truskawki albo czereśnie, nikt nie przychodzi do ciebie z umytą porcją gotową do zjedzenia. Musisz pójść do sklepu, kupić, zanieść do domu, umyć i dopiero będziesz w stanie zjeść.

A w Ameryce Łacińskiej owoce przychodzą do ciebie! Na skrzyżowaniach, na rogu ulicy, na peronie czy w poczekalni. Tak jest w wielu tropikalnych krajach, także w Azji i Afryce. Bardzo popularne są tam szklane gabloty podobne do niewielkiego akwarium, gdzie trzyma się świeże owoce obłożone kawałkami lodu. Czy wiesz jak smakuje w gorący dzień zimny kawałek słodkiego, soczystego arbuza?

W Indonezji pan z owocami w akwarium czekał na przystanku autobusowym. I co chwilę ktoś podchodził i wybierał z akwarium to, na co miał największą ochotę – arbuza, melona, ananasa, papaję albo kawałek białego miąższu orzecha kokosowego. Płacił drobną kwotę i zjadał od razu na miejscu. Chętnych było tylu, że sprzedawca co jakiś czas przynosił nowego arbuza albo melona, mył go ostrożnie w wiadrze obierał i kroił na cząstki.

W Indiach na każdym dworcu kolejowym znajdzie się sprzedawca sezonowych owoców. Nie ma szklanej gabloty ani lodu. Ma duży, płaski kosz, który umieszcza sobie na głowie i wędruje z nim po peronach. Czasem zatrzyma się gdzieś na dłużej, stawia kosz na murku, wyciąga plik gazet pociętych na niewielkie kwadraty i czeka. A ogniście pomarańczowa papaja czeka razem z nim. Przyciąga wzrok przechodniów i co chwilę ktoś podchodzi, płaci pięć rupii i dostaje małą porcję do zjedzenia na raz – pokrojoną na miejscu na mniejsze cząstki i podaną na kawałku gazety z drewnianą wykałaczką, która zastępuje widelec.

W Brazylii, w Peru, Kolumbii i wielu innych krajach latynoskich wszyscy piją koktajle owocowe. Na każdej ulicy jest co najmniej jedna budka, gdzie wśród świeżych, miejscowych owoców stoi mikser. Jest podłączony do prądu w czasem dość akrobatyczny sposób, ale najważniejsze jest to, że można w nim błyskawicznie przyrządzić wielką szklankę pełną witamin.

Podchodzisz do budki, patrzysz na owoce i zastanawiasz się na które masz największą ochotę. Może banany z marakują? Albo papaję z sokiem świeżo wyciśniętym z pomarańczy? Albo ananasy z graviolą i guaraną? Wybierasz to, co lubisz, a wtedy uśmiechnięty Brazylijczyk myje owoce, kroi je i wrzuca do miksera razem z odrobiną wody i lodu. Stawia przed tobą wysoką szklankę, żebyś mógł się przyssać do rurki i poczuć jak napełniasz się świeżą, fantastyczną energią.

Kiedy wróciłam z pierwszej wyprawy do Ameryki Południowej, natychmiast kupiłam porządny mikser. To była pierwsza rzecz, jaką zrobiłam po powrocie. Szklany, z mocnym silnikiem. I zaczęłam pić koktajle owocowe z polskich owoców.

W Ameryce Południowej
soki z owoców robi
się na poczekaniu
w ulicznych budkach

Bo prawdę mówiąc dopiero wtedy zorientowałam się jaką mamy w Polsce rozmaitość sezonowych, pysznych owoców!

Wydaje mi się, że owoce są niedocenione w naszym kraju. Owszem, robi się z nich desery i ciasta, ale czy często widzisz dorosłego Polaka, który ze smakiem zjada dojrzałe jabłko albo gruszkę? Jeśli już, to pewnie zje kawałek jabłecznika albo gruszkę ugotowaną pod sosem waniliowym. Ale świeży owoc? Nie mówiąc już o koktajlu z dojrzałych, sezonowych owoców, który świetnie zastąpi drugie śniadanie?

No właśnie.

Dopiero w Ameryce Południowej zrozumiałam jakie mamy świetne owoce w Polsce. Bo tam zajadałam się egzotycznymi guajawami, cupuaçu, guanabaną i lulo, a po powrocie do Polski zupełnie świeżym wzrokiem spojrzałam na nasze owocowe bogactwo.

Mamy na przykład absolutnie wspaniałe, aromatyczne czarne porzeczki o bardzo intensywnym smaku, których nie widziałam w żadnym tropikalnym kraju! Mamy równie wyjątkowe czarne jagody, agrest i poziomki! Mamy śliwki w wyjątkowo niezwykłych i smacznych odmianach. Mamy niesamowitą pigwę! Mamy nasze wspaniałe jabłka i gruszki, jeżyny, czereśnie i wiśnie, borówki, żurawinę i aronię, truskawki, maliny i porzeczki.

Pojawiają się w odpowiednich porach w ciągu roku, żeby dostarczyć nam takich witamin i składników, które akurat są najbardziej potrzebne – żeby rozruszać organizm po zimie, ochłodzić w czasie gorącego lata albo wzmocnić jesienią.

I każdy z tych owoców jest jednocześnie lekarstwem, które zapobiega wielu poważnym chorobom – od nowotworów przez kamienie nerkowe aż po depresję.

I znów – nie trzeba wiedzieć który owoc na co najlepiej działa ani jaki zestaw witamin znaleźli w nim i opisali naukowcy. Bo to, co udało im się zbadać i potwierdzić, to tylko wycinek większej całości – taki, który jest dostępny naszym ograniczonym narzędziom badawczym.

Nikt nie umie zmierzyć wielkości życiowej mocy, jaka jest przekazywana człowiekowi wraz ze zjadanymi przez niego owocami i warzywami. Dlatego nie cytuję w tej książce opinii naukowców o zawartości udokumentowanych witamin od A do E, tylko uważam, że każda jadalna roślina dla nas stworzona przez przyrodę zawiera witaminę W i witaminę Ż, czyli witaminę Wszystko i witaminę Życie, czyli pełen zestaw wszystkiego, co jest nam potrzebne do życia.

Chodzi tylko o to, żeby jeść po trochu różnych rzeczy, takich, które są świeże, sezonowe, naturalne, nie zmienione przez człowieka ani genetycznie, ani poprzez syntetyczne dodatki.

Rozejrzyj się.

Zobacz co jest akurat teraz świeże i dojrzałe. To wyrosło właśnie w tej porze roku i w naszej szerokości geograficznej nie przez przypadek.

Wszystkie lokalne i sezonowe warzywa i owoce wspierają nas najlepiej w danej porze roku, uzupełniają potrzebne mikroelementy i dostarczają organizmowi

wszystkiego, czego potrzebuje, żeby przetrwać. Przygotowują nas na zmianę pogody i nadejście nowych, innych warunków. Na deszcz albo na upał, na mróz albo na czas suszy.

Nauka traktuje je instrumentalnie i opisuje „korzyści", jakich dostarcza dany owoc albo warzywo. Jedno będzie źródłem witaminy C, inne błonnika albo polifenoli.

Prawda jest taka, że wszystkie jadalne rośliny zawierają niepoliczalny dla człowieka zestaw superskładników, w doskonały sposób wspierający jego życiową moc.

Nie chodzi więc o to, żeby zjeść truskawki dlatego, że mają dużo witaminy C, ale dlatego, że SĄ. Że są dojrzałe właśnie teraz. Specjalnie dla ciebie. I dostarczają ci tego wszystkiego, co jest ci akurat potrzebne, a ty wcale nie potrzebujesz wiedzieć co to jest ani jak się nazywa.

Jestem przekonana o tym, że gdybyśmy potrafili zrozumieć czym naprawdę są owoce i z czego naprawdę zostały stworzone przez naturę, co się w nich rzeczywiście znajduje i w jak genialny sposób jego wewnętrzne składniki są ze sobą powiązane i przyśpieszają albo hamują swoje wzajemne działanie, to o każdym owocu bez wyjątku można by ze stuprocentową pewnością powiedzieć, że:

- **chroni przed rakiem**
- **wspiera serce**
- **wzmacnia naturalną odporność, czyli chroni przed chorobami**
- **odżywia mózg, wzmacnia umysł**
- **przedłuża młodość**
- **poprawia trawienie**
- **poprawia stan skóry i włosów**
- **pomaga pokonać zmęczenie, odświeża umysł i ciało.**

Po prostu – jedz owoce w ich naturalnej, świeżej postaci. Dojrzałe, sezonowe i pochodzące z ziemi blisko ciebie.

Są trzy różne sposoby przyrządzania soku ze świeżych owoców: za pomocą miksera, sokowirówki albo wyciskarki. Każde z tych urządzeń działa na innej zasadzie i wytwarza zupełnie inny sok.

Mikser

Mikser bywa też zwany blenderem – od angielskiego słowa *blend*, czyli „mieszać ze sobą na jednolitą masę".

I tak rzeczywiście działa, bo rozrywa owoce na mniejsze części, miesza je ze sobą i zamienia w gęsty płyn. Taki owocowy koktajl ma dużo błonnika i witamin, szybko daje poczucie sytości.

Jest idealny na gorące dni.

Spróbuj po prostu wymieszać ze sobą umyte owoce, najlepiej dodając takie, które ze swojej natury są wilgotne – na przykład truskawki, maliny, jagody. Możesz dodać do nich banana, który zagęści koktajl i nada mu kremowej konsystencji.

Albo coś bardziej aromatycznego – na przykład kawałek melona albo ananasa, który nada koktajlowi egzotyczną nutę.

W czasie upałów warto dorzucić liście świeżej mięty, które mają działanie ochładzające od wewnątrz.

Sokowirówka

Sokowirówka używa bardzo wysokich obrotów, żeby siłą odśrodkową odrzucić miąższ z owoców i wycisnąć z nich tylko sok. Jest hałaśliwa i niezbyt skuteczna, bo w odrzuconych przez nią wilgotnych cząstkach owoców zostaje dużo niewykorzystanego soku.

Sokowirówka sprawdza się jednak przy twardych owocach i warzywach, na przykład w przypadku marchewki albo mało soczystych jabłek, które można by wprawdzie zmielić w mikserze, ale trzeba by potem odcedzić dużą zawartość wiórków powstałych z twardego miąższu.

Sok z marchewki i jabłek jest absolutnie genialnym polskim sposobem na zdrową cerę i dobrą przemianę materii.

Wyciskarka

Wyciskarka to fantastyczne urządzenie, które zachowuje najwięcej naturalnych wartości odżywczych owoców, a jednocześnie dostarcza sok będący czystą porcją energii.

Pracuje cicho i powoli. Ma w środku szczelnie obudowany ślimak, który z wielką mocą ściska owoce i wydobywa z nich sok. Nie rozrywa ich, nie podrzuca, nie wiruje, tylko ściska.

Robi to tak skutecznie, że z drugiej strony wypluwa prawie suche odpadki.

Tak przyrządzony sok zawiera bardzo mało błonnika, co może się wydawać wadą, ale w pewnych okolicznościach jest wielką zaletą. Głównie dlatego, że nie wypełnia sztucznie żołądka, tylko cały zawiera masę witamin i mikroelementów, które dostarczają mnóstwa energii.

Wyciskarka jest tak skuteczna, że można w niej zrobić sok praktycznie ze wszystkiego. Z miękkich i mokrych owoców, takich jak pomarańcze, truskawki czy arbuzy, ale też z twardych i raczej suchych, takich jak marchewka, nać pietruszki albo brokuł.

Wyciskarka jest najlepsza i dlatego najdroższa. Ale naprawdę warto w nią zainwestować.

ROZDZIAŁ 26

Owocowe leki

Dla ciekawych – przygotowałam opis leczniczych właściwości kilku owoców stosowanych w ludowej medycynie naturalnej.

Czarne porzeczki

Olejek z nasion był zalecany na różne dolegliwości kobiece, m.in. na złe samopoczucie przed menstruacją i bóle miesiączkowe.

Jedzenie owoców miało leczyć kaszel i chorobę Alzheimera, wspomagać wydzielanie insuliny i usuwać kamienie nerkowe.

Z suszonych liści robiono leki na bóle stawów, artretyzm, biegunkę, choroby wątroby, przeziębienie, stany zapalne ust i gardła.

Okładem ze świeżych liści leczono drobne rany i ukąszenia owadów.

Czarne jagody

Poprawiają pamięć, myślenie, przyswajanie wiedzy, analizowanie i kojarzenie faktów.

Regulują poziom cukru we krwi.

Obniżają poziom szkodliwego cholesterolu, przez co chronią serce.

Wzmacniają naczynia krwionośne, oczyszczają krew, zapobiegają żylakom.

Pomagają zregenerować przeciążone mięśnie.

Wzmacniają układ nerwowy, czyli pośrednio pomagają w radzeniu sobie z przedłużającym się stresem.

Wzmacniają wzrok, chronią go przed wpływem szkodliwego promieniowania słońca.

Chronią przed wieloma odmianami nowotworów.

Poprawiają trawienie.

Zalecano je do leczenia bakteryjnych infekcji dróg moczowych i przewodu pokarmowego, a także wirusowych infekcji górnych dróg oddechowych.

Stosowano je też w chorobach pasożytniczych, szczególnie u dzieci.

Uważano je za naturalne lekarstwo antydepresyjne.

Czereśnie i wiśnie

Chronią przed wszystkimi odmianami nowotworów.

Mają działanie przeciwzapalne, chronią przed zapaleniami stawów i artretyzmem, pomagają w przypadku nadwyrężenia mięśni i ścięgien.

Odmładzają, powstrzymują przedwczesne starzenie się organizmu.

Chronią przed chorobami układu nerwowego i cukrzycą.

Zawierają naturalnie występująca melatoninę, która pomaga przywrócić zdrowy rytm dobowy, pomaga na kłopoty ze snem, bóle głowy i powracające migreny.

Gruszki

Chronią przed chorobami serca, cukrzycą i nowotworami odbytu, żołądka i dwunastnicy.

Obniżają poziom szkodliwego cholesterolu.

Picie soku ze świeżych gruszek zalecano dla obniżenia gorączkę i wzmocnienia odporności, szczególnie w przypadku pierwszych objawów przeziębienia.

Leczono nim także kłopoty z gardłem i strunami głosowymi.

Mają działanie przeciwzapalne.

Zapobiegają osteoporozie.

Były zalecane na zatwardzenie i dolegliwości jelitowe.

Maliny

Zawierają wiele wyjątkowych składników, które chronią przed różnymi odmianami nowotworów, otyłością, nadciśnieniem i cukrzycą.

Mają działanie przeciwzapalne, pozytywnie wpływają na płodność.

Działają rozkurczowo, używano ich więc do zmniejszania bóli miesiączkowych.

W medycynie ludowej owoce i liście malin stosowano w leczeniu biegunki i przeziębień.

Obniżają gorączkę, mają działanie przeciwzapalne, ściągające i przeciwbakteryjne.

Poprawiają nastrój.

Winogrona

W dawnej medycynie tradycyjnej przy niektórych schorzeniach stosowano ampeloterapię, czyli leczenie za pomocą winogron i winogronowego soku. Używano ich m.in. przy dolegliwościach nerek i układu pokarmowego, bo winogrona świetnie oczyszczają organizm z toksyn.

Substancje zawarte w winogronach działają przeciwzapalnie, zmniejszają reakcje alergiczne, a nawet zapobiegają rozmnażaniu się wirusów.

W skórce, pestkach i szypułkach znajduje się najwięcej związków, które usuwają z organizmu wolne rodniki przyczyniające się do powstawania i rozwoju komórek rakowych. Podczas różnych eksperymentów potwierdzono też, że wyciąg z winogron niszczy komórki rakowe.

Ważne jest to, żeby jeść winogrona świeże, zdrowe i dobrze umyte.

W skórce i pestkach znajduje się dwadzieścia do stu razy więcej cennych, leczniczych właściwości niż w miąższu owoców.

Arbuz

To prawda, że miąższ arbuza składa się w 92% z wody, ale jest to najzdrowsza woda na świecie! Pełna naturalnych, najlepiej przyswajalnych witamin, aminokwasów, antyoksydantów i innych fantastycznie zdrowych substancji, które odżywiają ciało.

Jest idealnym sposobem, żeby nawodnić się w gorące dni.

W starożytności arbuzy zalecano też kobietom na zaburzenia równowagi organizmu przed menstruacją oraz obrzęki i opuchnięcia wywołane zatrzymaniem wody w organizmie. Zgodnie z tą dawną recepturą należy dobrego, świeżego, dojrzałego arbuza trzymać w cieniu w temperaturze pokojowej i co pół godziny zjeść niewielki kawałek.

Arbuzy mają dobroczynny wpływ na serce i kości, mają działanie przeciwzapalne i antynowotworowe.

ROZDZIAŁ 27

Kasza quinoa

Wysoko w górach w Peru było bardzo zimno. Kiedy tylko chowało się słońce, spod skał zaczynała wypełzać lodowata wilgoć. Oblepiała stopy i kolana, wspinała się coraz wyżej. Trzeba było natychmiast napić się gorącej herbaty. Najlepiej herbaty ze świeżych liści koki!

To jeden z najbardziej genialnych wynalazków andyjskich Indian.

Świeże albo suszone liście koki pomagają na ból głowy, niestrawność i inne objawy choroby wysokościowej, a dodatkowo tłumią głód i zmęczenie.

Mam na myśli oczywiście listek zerwany z rośliny, a nie biały proszek uzyskany z tych liści po długim chemicznym procesie obróbki.

Liście koki to jedna z takich rzeczy, które idealnie pasują do życia w dawnym i obecnym Imperium Inków, ale nie

Inkowie byli chyba najciężej pracującymi ludźmi na świecie.

I jedli kaszę quinoa

dają się przenieść na inne kontynenty. Nie tylko dlatego, że w niektórych państwach prawo zabrania posiadania liści koki. Także dlatego, że one najlepiej smakują i skutecznie działają tylko tam, gdzie wyrosły.

Jest jednak coś, co przywiozłam z Peru i często stosuję w mojej kuchni. Smakuje w Polsce tak samo doskonale, jak w andyjskich barach. I nie trzeba jechać po to aż do Ameryki Południowej. Jest tak zdrowa i słynna, że można ją kupić w wielu europejskich sklepach, w Polsce też.

Mam na myśli kaszę quinoa, po polsku nazwaną komosą ryżową, chociaż nie ma nic wspólnego z ryżem. Botanicznie jest jej bliżej do buraków i szpinaku. I nie jest ściśle rzecz biorąc kaszą, tylko tak zwanym „zbożem rzekomym", czyli taką rośliną, której nasiona są bardzo podobne do nasion zbóż, ale nie są trawami. Gryka jest też „zbożem rzekomym". Swoją drogą, to bardzo zabawna nazwa. Kojarzy mi się bardziej z rzeką niż określeniem czegoś, co jest podobne do czegoś innego, choć różni się od niego biologicznie.

Quinoa była świętą rośliną w Imperium Inków. Nazywano ją *la chisiya mama*, czyli „Zbożem Matką". Przybyła na Ziemię prosto z niebios, skąd przyniósł ją święty ptak Kullku.

I tak to właśnie jest na świecie.

Ludzie dostają wszystko, co jest im potrzebne do życia. Pszenicę – tam, gdzie jest dla niej odpowiednio ciepło i wilgotno. Albo jęczmień idealny dla tybetańskich płaskowyżów. A w wysokich górach Ameryki Południowej – kaszę quinoa, która idealnie czuje się na wysokości trzech do czterech tysięcy metrów nad poziomem morza. Nie przeszkadza jej mróz ani ostre słońce. Świetnie radzi sobie podczas suszy i potrzebuje minimalnej ilości wody.

Kiedy nadchodziła pora siewów, władca Inków przybywał na pole i rozpoczynała się wielka, ważna uroczystość, podczas której król osobiście złotą łopatką rozgarniał ziemię i wkładał do niej pierwsze nasiona, umieszczając tam wraz z nimi swoją boską moc. Bo przecież władca Inków był w prostej linii potomkiem Boga Słońce. Był synem Słońca i posiadał jego cudowną siłę.

A Inkowie byli chyba najciężej pracującymi ludźmi na świecie. Budowali drogi i mosty, które były tak mocne, że są używane do dzisiaj. Na zboczach wysokich gór robili tarasowe pola wzmacniane kamieniami i żyzną ziemią przyniesionymi z dolin. Nie używali wozów ani taczek. Wszystko wnosili na własnych plecach.

Mieli system pocztowy obsługiwany przez specjalnie wytrenowanych biegaczy. Kurierzy dostarczali w najdalsze zakątki imperium nie tylko przesyłki, ale i ważne informacje.

Byli też żołnierze, czyli wojownicy inkascy, którzy ciągle podbijali następne plemiona i przyłączali do imperium nowe ziemie.

Wojownicy, kurierzy, budowniczowie i rolnicy potrzebowali dobrego, pełnowartościowego jedzenia, które da im siłę. I dlatego wszyscy jedli kaszę quinoa.

Naprawdę.

Nie tylko dlatego, że była powszechnie dostępna i smaczna. Także dlatego, że posiada nadzwyczajne właściwości.

Naukowcy zmierzyli to, co potrafili zmierzyć i ze zdumieniem ogłosili, że kasza quinoa jest najbardziej kompletnym białkiem ze wszystkich roślin. To oznacza, że zawiera wszystkie niezbędne do życia aminokwasy. Mówiąc inaczej – jest superjedzeniem, które dostarcza ci więcej siły niż inne rośliny czy mięsa.

Ma więcej białka i wapnia niż mleko w proszku. I sprawdzono doświadczalnie, że zwiększa wydzielanie mleka u kobiet w ciąży i po porodzie.

A ponad wszystko – jest naprawdę bardzo smaczna!

Najczęściej spotykana jest biała quinoa. Ma postać małych, twardych kuleczek, które po ugotowaniu rosną mniej więcej trzy razy i dostają śmiesznych, zakręconych ogonków.

W Peru jest ponad sto różnych odmian kaszy quinoa. W Polsce można kupić co najmniej trzy: białą, czerwoną i czarną. Wszystkie są świetne.

Kasza quinoa gotuje się szybciej niż ryż i zwykłe kasze, bo jest gotowa już w piętnaście minut. Wystarczy ją opłukać, zalać gorącą wodą w ilości dwukrotnie większej niż ilość kaszy i gotować na małym ogniu.

Ma delikatny, lekko orzechowy smak. Świetnie nadaje się jak dodatek do drugiego dania zamiast ryżu czy ziemniaków. W Peru często jest podawana na ciepło z dodatkiem rozgotowanego szpinaku i ma wtedy zielony kolor. Jest też fantastyczna na zimno w sałatkach.

Kasza quinoa jest fantastycznym źródłem pełnowartościowego białka.

Zalecano ją przede wszystkim tym, których praca wymaga wielkiego wysiłku fizycznego i umysłowego. W Imperium Inków była codziennym pożywieniem władcy, wojowników i kurierów.

Kobiety w ciąży po regularnym spożywaniu kaszy quinoa miały więcej zdrowego mleka.

Nadzwyczajna zawartość białka była też wykorzystywania do leczenia złamanych kości. Indiańscy uzdrowiciele w Peru i Boliwii zalecali choremu jedzenie gotowanej kaszy quinoa i robili mu okłady z mąki quinoa wymieszanej z wodą.

Ugotowana i zmielona quinoa pomagała na stłuczenia, obrzęki i siniaki.

Używano jej też do leczenia schorzeń układu moczowego i wątroby, choroby wysokościowej i choroby morskiej.

Kasza quinoa nie zawiera glutenu.

Posiada wszystkie aminokwasy niezbędne do życia człowiekowi.

ROZDZIAŁ 28

Globalna iluzja

Najdziwniejsze w naszej cywilizacji jest to, że tworzy iluzje i podsuwa ci je jako prawdę, żeby zyskać na tym pieniądze. Nie jest to celowe oszustwo przygotowane przez jednego złego człowieka albo grupę złych ludzi. To jest raczej pewnego rodzaju bezwładność wynikająca z kilku nakładających się okoliczności.

Mama idzie z dzieckiem do sklepu. Kupuje mu „najzdrowsze" słodycze, czyli cukierki z sokiem owocowym i witaminami. No co może być lepszego dla twojego dziecka? Owoce i witaminy, prawda? W dodatku w atrakcyjnej formie słodkich cukierków.

Ale te witaminowe cukierki z sokiem owocowym to zwykłe kłamstwo. Składają się głównie z syropu glukozowego, syropu glukozowo-fruktozowego, białego cukru i zagęszczonych soków owocowych z dodatkiem innych

Nikt nie jest winien.

Wszyscy chcą zarabiać

chemicznie modyfikowanych substancji. Żaden składnik w tych cukierkach nie jest naturalny. Wszystkie są wysoko przetworzonymi substancjami wyprodukowanymi w fabrykach. Witaminy w tych cukierkach są syntetyczne, soki owocowe z zagęszczonych koncentratów zrobionych w innej fabryce z dodatkiem konserwantów i polepszaczy. Syrop glukozowy i glukozowo-fruktozowy to gorsza i bardziej szkodliwa odmiana cukru robionego z kukurydzy.

Ale ten cukierek nie jest dziełem czyichś rąk. Jest anonimowym produktem z fabryki żywności, dzięki któremu wszyscy zarabiają pieniądze. No, z wyjątkiem mamy, która dla swojego dziecka kupiła „zdrowe" cukierki, a potem będzie jeszcze musiała znaleźć pieniądze na leczenie go z różnych chorób, bo przecież we wszystkich innych gotowych produktach „spożywczych" jest tak samo dużo chemii, która kumuluje się w organizmie i w końcu zaczyna go osłabiać.

Winny nie jest ani robotnik obsługujący maszyny w fabryce pakującej cukierki ani ktoś, kto nadzoruje dolewanie do nich syropu glukozowego. Ani pracownik firmy reklamowej, który wymyślił hasło pomagające w sprzedaży. Ani nawet dyrektor fabryki cukierków, który dostaje zlecenie od zarządu i musi je wykonać. I zarząd też nie jest winny, bo zasiadają w nim biznesmeni, których zadaniem jest utrzymanie przedsiębiorstwa w dobrej kondycji finansowej. Nie muszą znać się na syropie glukozowo-fruktozowym ani jego wpływie na ludzkie zdrowie.

Nikt nie jest winny.
Wszyscy zarabiają, żeby móc wydawać.

Niektórzy chorują. Wtedy zarabiają też lekarze i fabryki lekarstw.

I tak toczy się życie w dziwnej globalnej iluzji, która z każdym rokiem coraz bardziej nas osłabia, zniewala i odbiera nam jasność myślenia. Całkiem dosłownie, bo niektóre syntetyczne dodatki stosowane powszechnie w produkcji żywności powodują zanikanie komórek mózgowych. Więcej o tym napisałam w poprzednim tomie.

Teraz chcę opowiedzieć o jeszcze jednej iluzji, która fantastycznie zdrową rzecz zamieniła w chorobotwórczy śmieć.

ROZDZIAŁ 29

Słodka stewia

Uwielbiam wchodzić na targowiska w Ameryce Południowej. Oszałamiająco pachną wilgotne od porannej rosy zielone pęki kolendry, pomarańcze i ananasy. Za nimi przy ponurych metalowo-szklanych ladach stoją rzeźnicy w fartuchach zbryzganych krwią. Sprzedawcy ryb z packami na muchy w rękach.

Zawsze jest też zakątek gorących garnków i świeżego jedzenia gotowanego na miejscu przez wesołe kucharki.

I jest też najbardziej tajemnicza część targowiska, gdzie sprzedaje się zioła, kawałki lian, olejki, szczapki kory drzew, suszone kwiaty i inne rośliny lecznicze.

I tam się właśnie zatrzymałam.

Każdy kram wyglądał jak dżungla. Obwieszony dziesiątkami torebek z suszonymi ziołami i pękami świeżych roślin. Była tam i słynna *vilcacora*, czyli lekarstwo na raka znalezione w dżungli przez peruwiańskich Indian, i mikstury przygotowane przez lokalnych szamanów. Tajemnicze orzechy, drewienka, kamyki, kwiaty, pnącza i liście przeróżnych wielkości i kształtów.

I staruszeczka zatopiona w bogactwie swoich leczniczych roślin. Ledwie było ją widać spod torebek z rumiankiem, pokrzywą i korzonkami.

– Indiańska viagra – zachęciła mnie zielarka wskazując na gałązki drzewa.

– Nie, dziękuję – roześmiałam się.

To było zapewne *pau da fertilidade*, który znalazłam z dżungli w Brazylii.

– Lekarstwo na żołądek?

– Nie, dziękuję, też raczej nie potrzebuję.

– Naturalny środek na moskity?

– Mam.

– Zioła na wzmożenie apetytu?

– Nie mam kłopotów z jedzeniem, dziękuję.

– Zioła hamujące apetyt?

– Też nie – śmiałam się. – dziękuję.

– Lekarstwo na raka?

– Znam, nie potrzebuję, dziękuję.

– A to znasz?

Chwyciła w chude palce szczyptę cienkich, suszonych listków z wyszczerbionymi krawędziami.

Zawahałam się.

Na targowisku
w Ameryce Południowej
zawsze jest zakątek
z ziołami

Musiała zauważyć niepewność na mojej twarzy, bo dodała od razu:

– Spróbuj!

Powiedziała to z takim szelmowskim uśmiechem i żartobliwym zmrużeniem oczu, że bez słowa sięgnęłam po listeczek i włożyłam go do ust.

Był słodki! Ale jak!!! Był bardziej słodki od najsłodszej kostki cukru! Był słodki jak miód, jak lukier, jak landrynka! Ach, co ja mówię! Był dużo bardziej słodki jak najbardziej landrynkowej landrynki, jaką potrafisz sobie wyobrazić.

– Dobre? – domyśliła się kolumbijska zielarka.

– *Dulce*[5] – potwierdziłam z pewną trudnością, bo miałam wrażenie, że język przylepi mi się do zębów od tej słodkości. – *Muy, muy dulce.*

– *Stevia!* – oświadczyła krótko zielarka i wydobyła spod lady dwie pękate torebki. – Chcesz kupić?

Kupiłam i triumfalnie przywiozłam je do Polski. Nie wiedziałam czy wolno je przewieźć przez granicę, zaryzykowałam więc wrzucenie do głównego bagażu. Jeśli któryś z celników będzie miał wątpliwości, trudno, będę się tłumaczyć. Albo po prostu dam im do spróbowania jeden listek. Właściwie ćwierć listka wystarczy.

Bo stewia jest trzysta razy słodsza niż cukier.

5 *Dulce* – (hiszp.) Słodkie. *Muy dulce* – bardzo słodkie.

Nazywa się właściwie *ka'a he'ê*, bo tak ją nazwali Indianie z plemienia Guaraní w Paragwaju. Indiańska nazwa oznacza „słodkie zioło". I to oni właśnie znaleźli tę roślinę, odkryli jej słodkie właściwości i zaczęli dodawać świeżych albo suszonych listków do naparów z yerba mate.

Stewia jest dość niepozorną rośliną z rodziny astrowatych, do której należy też m.in. słonecznik i stokrotka. Ma wąskie, szarozielone listki z ząbkami na krawędziach.

Była nieznana w naszej cywilizacji aż do XIX wieku, a konkretnie do dnia kiedy dyrektor paragwajskiej uczelni rolniczej wybrał się do puszczy. Był rok 1887. Dyrektor zapuścił się na tereny Indian Guaraní w nadziei znalezienia cudownej rośliny, ale choć bardzo się natrudził, wrócił z pustymi rękami. I bąblami na nogach.

Dopiero dwanaście lat później dostał od kolegi małą torebeczkę z pokruszonymi suszonymi liśćmi przywiezionymi z odległej plantacji yerba mate. Spróbował czy liście są rzeczywiście tak słodkie, jak głosiła legenda, a potem oznajmił odkrycie nowego gatunku.

Napisał wtedy:
Zdumiewająca jest osobliwa i nadzwyczajna słodycz zawarta w liściach. Fragment liścia wielkości zaledwie kilku milimetrów kwadratowych wystarcza, aby zachować w ustach słodki smak przez całą godzinę. Kilka małych listków wystarcza do posłodzenia całej filiżanki mocnej kawy lub herbaty.

Dopiero cztery lata później znajomy ksiądz pokazał mu jak wygląda stewia w naturze. Nadał jej nazwę *Stevia rebaudiana* na cześć paragwajskiego chemika, który jako pierwszy wyodrębnił z niej substancję nadającą jej ten niezwykły słodki smak.

I tu historia zaczyna zakręcać i powoli kierować się w stronę pustynnych bezdroży.

Bo cudownie jest mieć roślinę o słodkich listkach, móc je ususzyć i zachować na później, dodawać je do potraw. Absolutnie niecudownie i niedobrze jest poddać roślinę chemicznym reakcjom, wycisnąć z niej słodkie substancje, wymieszać je z syntetycznymi dodatkami i sprzedawać ludziom jako coś zdrowego.

A tak właśnie stało się ze stewią.

Zdrowa, naturalna, prawdziwa roślina o słodkich liściach została zmanipulowana i zamieniona w syntetycznego robota, który nie jest ani trochę naturalny i zdrowy, a wprost przeciwnie.

Liście stewii są naturalne i zdrowe.
Słodzik ze stewii to koktajl syntetycznych substancji z dodatkiem chemicznie otrzymanego wyciągu z liści.

Wystarczy spojrzeć na etykietę opakowań ze sztucznym słodzikiem. Znajdziesz tam różne chemiczne substancje, najczęściej różne syntetycznie otrzymane odmiany cukrów – takie jak dekstroza, glukoza, maltoza albo im podobne.

To niebezpieczne związki, z których sztucznie oddzielono towarzyszące im substancje, przez co zostały odarte z naturalnych zabezpieczeń, których zadaniem było regulowanie ich zachowania w ludzkim organizmie.

Do nich dodano glikozydy stewiolowe pochodzące wprost z chemicznego laboratorium, gdzie stewia została zabita, pocięta, wysuszona, podgrzewana, wyciskana wiele razy i różnymi metodami, a następnie poddana działaniu różnych chemicznych roztworów, które mają z niej wytrącić osad, zmienić jej kolor i inne naturalne właściwości.

Na rynku pojawiły się napoje gazowane „słodzone stewią" i reklamowane jako „zdrowsze", choć przecież nikt nie dodał do nich prawdziwych, zdrowych listków stewii. Nawet nie usunięto z nich całego cukru czy syropów używanych jako słodziki.

Część cukru w tych napojach została zastąpiona przez syntetycznie otrzymany słodzik ze stewii.

Nie byłoby w tym niczego złego, gdyby podano jednocześnie prawdziwą informację, że to jest napój gazowany z dodatkiem cukru oraz syntetycznego słodzika ze stewii, który nie jest ani trochę zdrowszy od napoju z cukrem albo syropem glukozo-fruktozowym.

I tak właśnie działa ta dziwna zbiorowa iluzja.

W Ameryce Południowej rośnie zdrowa roślina, której liście są trzysta razy słodsze od cukru.

W Europie robi się z niej syntetyczny słodzik, któremu w reklamach przypisuje się właściwości prawdziwej rośliny, chociaż ten słodzik nie tylko ich nie posiada, ale i ma szkodliwe chemiczne dodatki.

Prawdziwa stewia jest świetna.
Słodzik ze stewii to kłamstwo.

A poza wszystkim – tak naprawdę wcale nie potrzebujesz żadnego rodzaju cukru ani słodzika. Naprawdę.

Te dwie torebki listków stewii, które przywiozłam z Ameryki Południowej, rozdałam znajomym i słuchaczom mojej audycji radiowej.

Bo kiedy zaczęłam się zdrowo odżywiać, najzwyczajniej w świecie przestałam mieć ochotę na jakiekolwiek dosładzanie. Nawet ciastka piekę bez cukru, bo są słodkie od suszonych owoców i rodzynek.

Naprawdę.

Naturalne owoce i warzywa dostępne w naszej strefie klimatycznej zawierają wystarczająco dużo zdrowych, naturalnych cukrów. Czy wiesz jaka cudownie słodka jest surowa marchewka? Dobre, dojrzałe jabłko, winogrona albo czereśnie?

Są po prostu słodkie z natury, i to najlepszą pod słońcem słodyczą, która jest stuprocentowo przyjazna twojemu organizmowi i najlepiej przez niego przyswajana i wykorzystywana.

ROZDZIAŁ 30

Boski umysł

Z Paragwaju przywiozłam jeszcze jedno odkrycie Indian Guaraní – yerba mate, choć właściwie powinnam to powiedzieć inaczej.

Ludzie są w stanie dokonać tylko takich odkryć, które wcześniej zostały dla nich przygotowane. Przez Naturę lub przez Boga, jakkolwiek wolisz to rozumieć.

Bo przecież człowiek sam z siebie niewiele jest w stanie zdziałać.

Wyobraź sobie, że odbierzesz człowiekowi wszystkie przedmioty, którymi ułatwia sobie życie: ubranie, broń, naczynia, łyżkę i nóż, buty, telefon, Internet, koc i parasol. Zwierzęta są tak przystosowane do życia, że poradzą sobie w takiej sytuacji.

A człowiek jest zbyt delikatny. Ma cienką skórę, bardzo łatwą do zranienia, nie ma żadnych naturalnych narzędzi do obrony – ani kolców, ani jadu, ani pazurów. Ma

Nasz ludzki umysł
to jeden z największych
skarbów, jakie są
nam dostępne

wprawdzie zęby, ale raczej tępe, więc nie przegryzie nimi grubej skóry. A poza tym ma małe usta – w porównaniu do paszcz drapieżników, które są wydłużone i lepiej się otwierają – więc nawet miałby kłopot z pochwyceniem w zęby swojego przeciwnika. W dodatku ma słaby wzrok, słuch i węch w porównaniu ze zwierzętami.

Więc gdybyś w puszczy zostawił człowieka gołego – jak stworzyła go Natura – i bez plecaka z ekwipunkiem, to miałby niewielkie szanse na przetrwanie.

Nie wydaje mi się prawdopodobne, że byłby wtedy w stanie znaleźć różne cudowne rośliny i rozpoznać które z nich nadają się do leczenia, które do zaparzania, które do jedzenia, a które są trujące. Nie mówiąc już o tym, że istnieją rośliny trujące, które Indianie w Amazonii potrafią w bardzo pomysłowy i dość skomplikowany sposób pozbawić trucizny, żeby robić z nich kaszę i placki.

Nie wiem więc czy rzeczywiście ludzie „odkryli" to, z czego dzisiaj korzystają.

Myślę raczej, że w bardzo dawnych czasach, kiedy człowiek żył blisko przyrody, miał bardziej boski umysł. W tym sensie, że był w stanie dostrzegać i rozumieć znacznie więcej niż ludzie we współczesnym świecie. Widział to, co dla współczesnego człowieka jest niewidzialne. Był więc w stanie czerpać swoją wiedzę ze sfer niedostępnych dzisiejszej cywilizacji, a więc także nowoczesnej nauce.

Dlatego uważam, że dzisiaj wiemy mniej niż kiedyś, mimo że pozornie nauka stała się bardziej rozwinięta, a jej narzędzia pozornie są bardziej zaawansowane.

Tylko pozornie, bo nauka skupia się na badaniu tego, co jest policzalne, zmierzalne i możliwe do zamknięcia w definicji z wykorzystaniem znanych pojęć.

Tymczasem na świecie przez cały czas dzieją się rzeczy, których nie można zmierzyć ani objąć za pomocą ludzkiej wiedzy. Są większe i inne od wszystkiego, co znamy. Dlatego chociaż są tuż obok, nie potrafimy ich zobaczyć.

To znaczy są tacy, którzy umieją. Ale jest ich tylko garstka. To tacy, którzy byli w stanie oczyścić swoje ciało i umysł z tego, co narosło w nich wraz z budową naszej zachodniej cywilizacji opartej na pieniądzach, handlu, posiadaniu i gromadzeniu, wraz ze wszystkimi konsekwencjami, choćby takimi jak masowo produkowane śmieciowe jedzenie albo masowo przekazywane śmieciowe informacje.

Nasz ludzki umysł to jeden z największych skarbów, jakie są nam dostępne. Chwilowo jednak, czyli na naszym obecnym etapie rozwoju cywilizacji, jest wykorzystywany zaledwie w ułamku swojego potencjału – głównie do liczenia tego, co się ma oraz tego, co mają inni. A potem do zazdroszczenia innym, że mają więcej, lub użalania się nad tymi, którzy mają mniej, całkowicie bez świadomości tego, że posiadanie więcej lub mniej nie ma w rzeczywistości żadnego znaczenia. A „bieda" istnieje tylko w umyśle człowieka, które ze swojej bogatszej perspektywy ocenia skromniejszy stan posiadania kogoś innego, nie zdając sobie sprawy z tego, że dla tego „biednego" ilość posiadanych przez niego przedmiotów jest tak nieistotna, jak zmarszczki na powierzchni oceanu.

Myślę, że kiedyś było inaczej. Ludzie wykorzystywali cały swój boski potencjał, czyli byli w stanie czuć fantastyczną wewnętrzną moc, która powstawała z połączenia ich życiowej energii z energią wszechświata.

Świat ich po prostu prowadził.
Tak jakby umieli czytać z nienapisanych ksiąg.
W naszej cywilizacji trzeba najpierw coś zapisać, żeby ktoś mógł to przeczytać, zrozumieć, przyswoić jako wiedzę, a potem zacząć z niej korzystać.

W dawnych cywilizacjach ludzie byli w stanie czytać także to, czego nikt nie zapisał, a co komponowała dla nich, odkrywała przed nimi i czego ich uczyła Natura, Siła Wyższa, Bóg.
Nie mam na to dowodów. Nie znam nikogo, kto myślałby podobnie. A jednak jestem przekonana, że tak właśnie było.

Po wszystkim, co widziałam podczas podróży po świecie, uważam, że cywilizacja zamiast się naprawdę rozwijać, zaczęła się raczej uszczuplać i ograniczać, zawężając swoje pole widzenia, zdolność percepcji i więź z Siłami Większymi i Mądrzejszymi Od Siebie.

Kiedyś ludzie byli w stanie wznosić potężne budowle, jakich dzisiaj nie wykonałby żaden konstruktor – pałace i świątynie rzeźbione w skale, piramidy czy gigantyczne kamienne posągi.
Kiedyś potrafili wpisać swoje istnienie w nurt rzeki kosmicznych przemian, jakie nieustannie odbywają się dookoła nas. Żyli w harmonii z tym, co ich otacza. Mieli

instynktowny i naturalny szacunek do wszystkich innych form życia. Nie zabijali więcej zwierząt i nie ścinali więcej roślin niż to niezbędnie konieczne do przetrwania. A nawet kiedy to robili, to z wdzięcznością i czcią doceniali to, że zwierzę lub roślina oddaje swoje życie po to, żeby oni mieli więcej siły.

Wiedzieli, że są częścią większej całości, która jak Matka opiekuje się nimi i prowadzi ich przez świat, czuli więc do niej pokorę, szacunek i miłość.

I dlatego dostawali od Matki Ziemi wskazówki i prezenty.

Myślisz, że to jakiś utopijny ideał? Nieosiągalna w praktyce sielanka?

Wcale nie.

Czystość myśli, wdzięczność serca i umiejętność docenienia tego, co się ma, to wcale nie jest bajka. To najprawdziwsza prawda i stan osiągalny dla każdego z nas.

Czy wiesz jak cudownie jest mieć takie nastawienie?

Czy wiesz, że wtedy wszystko wydaje się pełne sensu, jasne i proste? Czy wiesz, że w takim stanie duszy można zrealizować każdy plan i osiągnąć każdy cel, jaki sobie wymarzysz?

I właśnie w takim stanie umysłu i duszy byli ludzie bardzo dawno temu. Wtedy, kiedy Matka Natura uczyła jak korzystać ze wszystkiego, co zostało dla nich stworzone.

ROZDZIAŁ 31

Boginie i jaguar

Legendy to takie opowieści, które zostały sformułowane długo po pewnych wydarzeniach. To oznacza, że ludzie, którzy je opowiadali, byli już w zupełnie innym stanie umysłu i ducha niż ci, których te opowieści dotyczyły. Dlatego używali tylko takich pojęć, jakie były dla nich zrozumiałe.

Tak jak wyjaśniłam w poprzednim rozdziale, moim zdaniem kierunek rozwoju naszej cywilizacji doprowadził raczej do ograniczenia zdolności ludzkich umysłów.

To znaczy, że każda legenda opisująca to, co zdarzyło się dużo wcześniej, jest mniej więcej w połowie błędna – przez sam fakt, że osoba, która ją opowiada, nie jest w stanie zrozumieć tego, co naprawdę mogło mieć miejsce.

I dlatego legenda o tym, że Bóg Koliber przyniósł w dzióbku ogień dla ludzi, którzy żyli jeszcze wtedy w zimnie i odżywiali się tylko surowym mięsem, jest równie prawdziwa, co nieprawdziwa, ponieważ prawda o tym co się naprawdę wydarzyło została zagubiona przez następne pokolenia ludzi o coraz bardziej ograniczonym stanie świadomości. Opowiadali tylko to, co sami byli w stanie zrozumieć.

I tak samo było zapewne z legendą o yerba mate.

Jedna z nich opowiada o Bogini Księżyca i Bogini Chmur, które pewnego pięknego dnia wybrały się na przechadzkę po Ziemi. Wędrowały właśnie przez puszczę, gdy nagle na ich drodze pojawił się Jaguar.

Dalszy ciąg tej historii zależy od stanu umysłu – czyli od wszystkiego, co znajduje się w świadomości i podświadomości osoby, która ją opowiada.

Jeżeli opowiada ktoś, kto jada mięso, pewnie powiedziałby, że Jaguar był głodny i zaczaił się z wyraźnym apetytem na dwie boskie wysłanniczki. Już miał je zaatakować, gdy nagle na ścieżce pojawił się stary Indianin. Wyjął nóż i bohatersko pokonał Jaguara, a ocalone boginie z wdzięczności podarowały mu nową roślinę, z której mógł przyrządzać napój przyjaźni, który wzmacniał ciało i duszę.

Myślę, że gdyby opowiadał ją weganin, ta legenda brzmiałaby zupełnie inaczej. Bo weganie instynktownie starają się unikać przemocy i walki, więc ich umysł w tej samej sytuacji podąży zupełnie inną drogą.

Tak więc gdy Boginie wędrowały przez puszczę, niespodziewanie spotkały Jaguara.

– Witaj, Cętkowany Kocie – powiedziała Bogini Księżyca.

– Dziękuję ci, droga bogini, że oświetlasz nocą puszczę – odpowiedział Jaguar, ukłonił się i już miał ruszyć dalej na spoczynek, bo był nieco utrudzony, gdy nagle z zarośli wyszedł stary Indianin.

Stanął nieśmiało w pewnej odległości, niepewny czy może podejść bliżej i czy nie przeszkodzi im w czymś ważnym.

– Jesteś zmęczony, Jaguarze? – zagadnęła Bogini Chmur.

– Tak, trochę jestem – przyznał Jaguar. – Dziś wyjątkowo późno położę się spać, choć cieszę się, że miałem przyjemność porozmawiać z wami w ten piękny poranek.

Bo Jaguar, jak wiadomo, jest nocnym łowcą, a w ciągu dnia najchętniej drzemie w spokojnym i zacienionym miejscu.

– Ale wiesz co – odezwała się Bogini Chmur. – Gdybyś potrzebował kiedyś obudzić swoje ciało i umysł, tu niedaleko mieszka roślina, która chętnie ci pomoże. Nazywa się Yerba Mate.

Bogini odwróciła się, spojrzała na Indianina i dodała:

– I tobie też, drogi przyjacielu.

– O tak, oczywiście! – przytaknęła Yerba Mate i zaszumiała listkami. – Z wielką przyjemnością odwiedzę twój żołądek i twój mózg. Zawsze chętnie poznaję nowe okolice.

– Dziękuję – powiedział Jaguar, ukłonił się jeszcze raz i poszedł spać.

– Dziękuję – powiedział Indianin, dotknął dłonią serca i skłonił głowę.

– To my ci dziękujemy – odrzekły boginie i znikły.

A Yerba Mate od tej pory często gościła w indiańskich chatach.

I ja też pewnego razu wybrałam się na jej poszukiwania aż do Paragwaju.

ROZDZIAŁ 32

Podróż do Paragwaju

Przeczytałam o niej w jakiejś książce. Bohaterowie pili yerba mate z tykw przez srebrne rurki. To wszystko brzmiało tak egzotycznie, że ciągle o tym myślałam. Jak wygląda tykwa? I po co ta srebrna rurka? Jak smakuje yerba mate i dlaczego każdy, kto ją pije, zawsze znajduje się w towarzystwie? Czy to rodzaj używki? Jak działa? Jak smakuje?

To było ponad dwadzieścia lat temu. W Polsce nie można było kupić czegoś tak egzotycznego. Nie było jeszcze nawet Internetu, więc nie mogłam w sieci obejrzeć zdjęć tykwy, rurki ani rośliny.

Wyobrażasz sobie taki świat?

Kiedy nie istniał Internet, nie było maili ani telefonów komórkowych. To było fascynujące. Dużo bardziej zagadkowe niż teraz. I zmuszające do podjęcia realnego wysiłku. Bo jeżeli chciałam spróbować jak smakuje yerba mate, istniało

yerba mate

Uwielbiam!

tylko jedno możliwe rozwiązanie: spakować plecak i wyruszyć w podróż do Ameryki Południowej. A potem dostać się jeszcze do jednego z najbardziej ukrytych i tajemniczych krajów, czyli do Paragwaju.

Nie było bezpośrednich lotów. Nawet dzisiaj nie można z Europy dolecieć prosto do Asunción, a poza tym musiałam wtedy oszczędzać każdą złotówkę, więc nie było mowy o tym, żeby kupić kombinowany bilet z kilkoma wygodnymi przesiadkami, które dowiozą mnie prosto na miejsce. O, nie.

Kupiłam najtańszy bilet w promocji do Brazylii, a stamtąd autobusem wyruszyłam do Paragwaju.

Po przekroczeniu granicy natychmiast weszłam do pierwszego baru i zamówiłam yerba mate.

Pani za ladą wybałuszyła oczy. Bo nikt nie zamawia w barze yerba mate. Każdy po prostu zawsze ma ją przy sobie. To tak jakby wejść w Polsce do baru i stanowczym głosem zamówić kromkę chleba. No błagam, to jest przecież artykuł pierwszej potrzeby i tak nierozerwalnie związany z codziennością, że każdy go po prostu ma.

I tak samo jest z yerba mate w Paragwaju.

Ale miałam to szczęście, że pani w barze była bardzo uprzejma. Domyśliła się, że nie znam lokalnych zwyczajów i że przybywam z bardzo daleka, zapewne z jakiegoś niezwykłego kraju, gdzie yerba mate jest może dostępna tylko w restauracjach. Wyjęła więc własną tykwę, nasypała yerba mate, wetknęła rurkę i postawiła ją przede mną.

I teraz ja zdębiałam.

Bo co miałam z tym dalej zrobić?

Zachowałam się jak każdy początkujący barbarzyńca: chwyciłam rurkę w garść i chciałam nią zamieszać w tykwie. A właściwie w drewnianym kubku, bo – jak się później dowiedziałam – tykwy są używane do picia głównie w Argentynie, Urugwaju i Brazylii, a w Paragwaju pije się ze specjalnych drewnianych kubków.

– O nie, nie! – zawołała barmanka i myślę, że wtedy było już dla niej jasne, że w moim ojczystym kraju ludzie w ogóle nie wiedzą co to jest yerba mate i do czego służy, ze współczuciem więc podeszła, wyjęła mi kubek z ręki, postawiła go na stole i nalała do niego odrobinę gorącej wody z termosu.

A potem podetknęła mi kubek pod nos i uśmiechnęła się zachęcająco.

Aha. Mam się napić. Ale tego dziwnego zielonego błota? Rety! Spojrzałam z wahaniem na paragwajski słynny przysmak.

W drewnianym kubku było prawie do pełna pokruszonych zielonych ziół z małymi białymi patyczkami. W tej ciasnej masie stała wbita na sztorc metalowa rurka. A kiedy Paragwajka nalała wody, to na wierzchu zrobiło się mokre bajorko. Mam to wypić???

– Pij, pij – ponagliła, a na jej twarzy pojawił się wyraz dziwnego niecierpliwego pragnienia.

Wtedy jeszcze tego nie rozumiałam, dopiero dzisiaj wiem co oznaczał.

Sięgnęłam po kubek, przytknęłam z wahaniem rurkę do ust i... pociągnęłam!

Aaaaaaaa!!!!!! To było ohydne!!!! Gorzkie, piekielnie mocne i tak gorące, że poparzyło mnie w usta! Twarz skręciła mi się w grymasie, którego nie mogłam powstrzymać.

Za ladą pojawiła się jeszcze jedna barmanka, młodsza, z drutowanymi zębami. Obie przyglądały mi się z ciekawością, a potem wybuchły śmiechem.

– Spróbuj więcej! – namawiały.

Spróbowałam. I znów twarz wyginała mi się konwulsyjnie, bo napar był bardzo gorzki, bardzo gorący i bardzo intensywny. Bardziej niż byłam w stanie to znieść.

Stwierdziłam więc, że nie lubię yerba mate i zamknęłam temat. A przynajmniej tak mi się wydawało. Bo yerba mate w Paragwaju nie jest tematem, który można zamknąć. On jest otwarty zawsze, przez cały czas i dosłownie wszędzie.

Przez następne dni i tygodnie codziennie byłam częstowana yerba mate. Nie dlatego, że o to prosiłam, o nie! Jest to po prostu obyczaj towarzyski.

Yerba mate pije się wspólnie, z jednego naczynia i przez tę samą rurkę. Kiedy siadasz z kimś, żeby porozmawiać, pierwszą rzeczą, jaką ten ktoś robi, jest zaparzenie świeżego naparu i wyciągnięcie do ciebie kubka pełnego zielonych ziół. Nie masz wyjścia. Wszyscy piją yerba mate. Musisz i ty.

No, właściwie nie musisz, ale wiesz jak to jest. Kiedy próbujesz dostosować się do lokalnych obyczajów, jesteś bliżej ludzi, którzy tam mieszkają. Lepiej możesz ich zrozumieć. Łatwiej możesz się z nimi porozumieć, bo niezależnie od tego jak bardzo się różnicie strojem, kolorem skóry i oczu, sposobem myślenia i wieloma innymi rzeczami, teraz macie coś wspólnego, coś, co was łączy. I tym czymś jest drewniany kubek pełen potwornie gorzkich ziół.

Ale zaraz. Czy ja powiedziałam, że te zioła były potwornie gorzkie? Naprawdę? No tak, tak mi się wydawało przez pierwszy tydzień. A potem stała się niezwykła rzecz.

Pewnego dnia rano obudziłam się i moją pierwszą myślą było:

– Muszę sobie kupić własny kubek, rurkę, żebym mogła codziennie pić yerba mate!

I sama się zdumiałam tą myślą.

Ale wtedy już nie myślałam o tym, że jest gorzka i mocna. Nagle zaczęła mi po prostu smakować!

To prawda, że kilka pierwszych łyków jest najmocniejszych. I rzeczywiście, mogą się wydawać trochę gorzkie. Ale z każdym łykiem napar staje się coraz bardziej łagodny, a twoje ciało i twój umysł prostują się i wstają, bo czują nadzwyczajną moc!

Serio.

Yerba mate zawiera taki zestaw substancji naturalnie pobudzających, leczących i poprawiających nastrój, jak kawa, herbata i kakao razem wzięte. Przy tym uważa się, że nie ma szkodliwych efektów ubocznych.

Kawa bywa agresywna dla serca. Pobudza jednym, szybkim uderzeniem, nagle i znienacka, zmuszając serce do nadzwyczajnie przyśpieszonej pracy. A potem równie

szybko odchodzi, znika, zamiera, a ty z wierzchołka dynamicznej góry niespodziewanie wpadasz w energetyczny dołek.

Z yerba mate jest inaczej. Pobudza wolniej, w bardziej zrównoważony sposób. Nie każe ci od razu wspinać się na wysokość 10 000 metrów, tylko stopniowo zabiera cię na dwa tysiące metrów, potem na cztery, potem na sześć i osiem, a kiedy staniesz na wierzchołku, nie czujesz się przytłoczony tym wyczynem, tylko spokojnie oddychasz i czujesz w sobie moc.

Przynajmniej ja czuję.

I dlatego kiedy dwa miesiące później wyjeżdżałam z Paragwaju, zabrałam ze sobą niepozorny karton, w którym zapakowałam dwadzieścia kilo bezcennych ziół, z którymi nie chciałam się rozstawać.

Przypomnę, że to było w czasach przedinternetowych. W Polsce nie było jeszcze sklepów z herbatą i chyba nikt nie sprzedawał yerba mate. A jeśli nawet ktoś ją miał, to jak miałam go znaleźć, skoro nie było sklepów internetowych ani takiej rozmaitości czasopism jak teraz?

Dwa lata później przywiozłam z Argentyny następny zapas yerba mate.

I od tamtego czasu, czyli od powrotu z Paragwaju, codziennie rano piję yerba mate.

Tylko rano, bo jeśli zaparzysz ją sobie po południu, nie będziesz mógł spać.

Yerba mate pobudza wolniej, ale na dłużej niż kawa. Nie daje jednego szybkiego kopniaka, po którym twoje serce puka w przyśpieszonym tempie jakby chciało się wyrwać z piersi, a potem zapada w depresyjną drzemkę.

Yerba mate pobudza tak jak kawa (a właściwie moim zdaniem lepiej), ale robi to łagodnie i na dłużej. Trzeba tylko wiedzieć jak ją prawidłowo zaparzyć.

ROZDZIAŁ 33

Yerba mate

Są dwa rodzaje yerba mate: prawdziwa, w postaci suszonych, pokruszonych liści z patyczkami (lub bez); oraz udawana, sprzedawana w gotowych do zaparzenia torebkach ekspresowych.

Ta druga jest dość popularna w Argentynie, ale raczej tam, gdzie nie ma możliwości zrobienia świeżego naparu, czyli na przykład w samolocie, pociągu albo dalekobieżnym autobusie.

Yerba mate w mikroskopijnej, prawie sproszkowanej formie zapakowanej w jednorazową torebeczkę parzy się tak samo jak ekspresową herbatę, czyli zalewa w szklance gorącą wodą.

Tak przyrządzona yerba mate ma bardzo delikatny smak, bez wyczuwalnej goryczy, ale i jej działanie jest bardzo słabe.

Prawdziwa yerba mate to wysuszone liście krzewu *Ilex paraguariensis*, czyli ostrokrzewu paragwajskiego. Jest uprawiany w czterech krajach Ameryki Południowej: Argentynie, Brazylii, Paragwaju i Urugwaju. I w tych czterech krajach istnieje zwyczaj picia yerba mate.

Żeby zaparzyć prawdziwą yerba mate, będziesz potrzebował czterech rzeczy:

1. drewnianego kubka albo tykwy
2. specjalnej rurki, która nazywa się *bombilla*
3. yerba mate w postaci rozdrobnionych suszonych liści
4. termosu z gorącą wodą.

Mówiąc najkrócej, yerba mate parzy się odwrotnie niż herbatę.
Czyli do bardzo dużej ilości liści dolewa się bardzo małą ilość wody.

Bo herbatę robi się odwrotnie, prawda? Nasypujesz odrobinę herbaty, dolewasz bardzo dużo wody.
W yerba mate proporcje się odwrotne.

Nasyp do kubka albo do tykwy suszonej yerby prawie do pełna. Tak, do suchego kubka wsyp suchej yerby tak dużo, żeby był prawie pełen.

Weź *bombillę*, czyli metalową rurkę zakończoną sitkiem, i wkręć ją w suchą yerbę tak daleko, żeby dotknęła dna.

I twoja yerba jest już gotowa.

Nalej do termosu gorącej, przegotowanej wody. To nie powinien być wrzątek, tylko woda odrobinę przestudzona, w temperaturze ok. 80 stopni.

I teraz z termosu nalej trochę wody do kubka z suszoną yerbą. Niewiele tej wody się zmieści, ledwie dwa albo trzy łyki. I o to właśnie chodzi.

Nalewasz odrobinę gorącej wody, wypijasz przez rurkę. Po chwili znów dolewasz trochę wody z termosu i znów wypijasz przez rurkę.

Rurką nie kręć, nie mieszaj, w ogóle nie musisz jej dotykać.

Siedzisz sobie z yerba mate na stole, obok stoi termos z gorącą wodą i tak sobie pijesz swój napar przez godzinkę albo dwie. I czujesz, jak rośnie w tobie chęć, siła i radość.

Cokolwiek robiłeś, robisz to coraz sprawniej. Myślisz jaśniej. Czujesz się lepiej. I czasem częściej idziesz do łazienki, bo yerba mate działa trochę przeczyszczająco i zwiększa produkcję płynów. Dobrze jest je uzupełniać szklanką wody mineralnej.

Yerba mate jest uważana za jedną z najzdrowszych roślin na świecie. Zawiera wszystkie witaminy potrzebne do życia, dużo soli mineralnych, m.in. potas, mangan, żelazo, selen, wapń, cynk i magnez.

Ma też inne składniki odżywcze i uzdrawiające, dzięki którym chronią przed nowotworem, wzmacniają układ odpornościowy i oczyszczają krew.

Yerba mate pomaga w mądrym odchudzaniu, bo wypłukuje toksyny z organizmu, przyśpiesza przemianę materii, lekko przeczyszcza i karmi, dzięki czemu powstrzymuje głód na inne jedzenie.

Pobudza umysł, pomaga w koncentracji uwagi i jasności myśli.

Pobudza ciało, zwiększa wydolność, dodaje siły.

Ma trochę zaskakujący smak, szczególnie dla kogoś, kto jej próbuje po raz pierwszy, ale szybko można się do niego przyzwyczaić. Ja po pierwszym łyku yerba mate pomyślałam, że nigdy więcej nie będę chciała jej pić. Tydzień później kupiłam mój pierwszy kubek i od tamtej pory z wielką przyjemnością piję yerba mate codziennie rano przy pracy po śniadaniu.

ROZDZIAŁ 34

Gdy zaczęłam myśleć

Czasem to mi się wydaje aż niewiarygodne – jak bardzo zmienił się mój sposób myślenia.

O wszystkim.
O miłości, o jedzeniu, o działaniu.
O pracy, o zwierzętach, roślinach, o religii, o Bogu, naprawdę o wszystkim.

Ale raczej nie dlatego, że kiedyś myślałam inaczej, a teraz myślę inaczej.
Raczej dlatego, że kiedyś nie myślałam. A potem zaczęłam myśleć.

Kiedyś wiedzę czerpałam z przypadkowych artykułów, wypowiedzi, ogólnie panujących przekonań albo z reklam i nie przyszło mi wtedy do głowy, żeby zainteresować się jak jest naprawdę.

Kiedy widziałam w reklamie zmarzniętego chłopaka, który z czułością przytula się do kubka z gorącą zupą z proszku, to był dla mnie wystarczający komunikat, żeby też ją jeść.

A potem coś zaczęło się we mnie zmieniać.

Wydaje mi się, że to się stało dokładnie wtedy, kiedy przestałam pić alkohol. Przestał mi smakować. Nie chciałam, żeby zawrócił mi w głowie.

Chciałam mieć jasne myśli. Po alkoholu zawsze czułam się przymulona. Umysłowo i fizycznie. Tak jakby alkohol obciążał moje ciało i mój mózg. Nie mogłam się z niczym zebrać, miałam wrażenie, że powietrze dookoła jest tak gęste, że utrudnia mi ruchy. Nie chciało mi się wstać. Coś chciałam zrobić, ale nie miałam pojęcia co. Pójść do kina? E, tam. Na spacer? Nie. Poczytać? Też nie. No to może zająć się jedną z tych spraw, które od dawna czekają na załatwienie? O, nie, nie dzisiaj.

No to co? No to nic. Włączałam telewizor i przeskakiwałam przez kanały, bo nic mi się nie podobało.

– Nie ma nic do oglądania w telewizji! – narzekałam.
I tak marnowałam pół dnia. A potem czasem wieczorem nalewałam sobie kieliszek wina i znów zamulałam sobie rozum na następne kilkanaście godzin.

Aż pewnego dnia przestałam.
Otrząsnęłam się.

Po alkoholu zawsze
czuam się nieprzyjemnie
przymulona.
Umysłowo i fizycznie

Jakiś wewnętrzny głos szeptał do mnie i nalegał, że to bez sensu. Że ja tak nie chcę. I żebym zastanowiła się jak chciałabym żyć, a potem po prostu zrealizowała ten plan.

Przestałam pić alkohol kiedy odkryłam, że bez niego lepiej się myśli i łatwiej można skoncentrować się na tym, co jest dla mnie ważne.
I wtedy też zaczęłam świadomie patrzeć na świat dookoła i rozumieć co się w nim dzieje.

Teraz, kiedy patrzyłam na zmarzniętego gościa, który w reklamie rozgrzewał się kubkiem gorącej zupy z proszku, wiedziałam, że to tylko aktor wynajęty do tej roli i że on wcale nie lubi tej zupy, tylko w reklamie tak udaje.

Przeczytałam jeszcze raz – ale po raz pierwszy świadomie – listę składników tej zupy w proszku i odniosłam wrażenie, że niewiele z niej rozumiem. Kiedyś wzruszyłabym ramionami i zalała proszek wrzątkiem, ale teraz pomyślałam, że warto byłoby wiedzieć w jaki sposób i z czego ta zupa została zrobiona.

I tak zaczęłam myśleć.

Wtedy właśnie wszystko się zmieniło. A ja przestałam się kręcić w kółko, tylko ruszyłam naprzód z moim życiem.

Przestałam pić alkohol, przestałam jeść mięso, przestałam jeść jedzenie z dodatkiem chemicznych substancji polepszających, a potem przestałam też jeść nabiał i jajka, czyli wszystkie produkty pochodzenia zwierzęcego.

I poczułam się fantastycznie. Miałam więcej siły i chęci, klarowny umysł i lekkie ciało. Tak jakby coś przestało mnie sztucznie obciążać i spowalniać moją naturalną energię.

To było bardzo niezwykłe, bo wcześniej nie wyobrażałam sobie życia bez pysznego polskiego twarogu i jogurtu. Uwielbiałam je i jadłam codziennie, chociaż to było trochę tak jak z alkoholem – bardzo przyjemne w momencie jedzenia, ale dziwnie zamulające i obciążające po zjedzeniu. Postanowiłam przestać jeść nabiał na jakiś czas, może na tydzień, może na miesiąc, ale po kilku dniach wiedziałam, że to już chyba tak zostanie i że jest to raczej decyzja na całe życie. Nie dlatego, że się do tego zmuszałam, ale dlatego, że tak świetnie się wtedy czułam!

A dopiero potem dowiedziałam się, że rzeczywiście białko zwierzęce jest obce ludzkiemu organizmowi. I naprawdę fizycznie go obciąża. Takie były wnioski lekarzy, którzy niezależnie od siebie przez długie lata badali tę sprawę: Michaela Klappera, Johna McDougalla, Josepha Crowe'a, Neala Barnarda, Russella Blaylocka, Andreasa Moritza i innych.

Piszę o tym nie po to, żeby cię namawiać na weganizm, ale tylko żeby wyjaśnić jak to wygląda w moim życiu.

Każdy człowiek jest trochę inny. Każdy jest też na innym etapie swojego życia, więc każdy sam powinien zdecydować o tym co je i dlaczego.

I właśnie o to mi chodzi.
O świadome podjęcie decyzji.

Sama doskonale wiem na czym polega różnica między świadomą decyzją a bezmyślnym dryfowaniem, bo ja też kiedyś tak żyłam.

Owszem, samodzielnie podejmowałam decyzje o tym co jem, ale opierałam je na informacji z reklam, opakowań albo zasłyszanych w przelocie opinii.

Dlatego jadłam zupki z proszku (bo „rozgrzewają i sycą"), tabletki z magnezem („bo trzeba uzupełniać właściwy poziom minerałów"), kurczaka („bo białe mięso jest najchudsze"), kaszankę („bo to najlepsze źródło żelaza") i inne mięsa („bo tylko mięso dostarcza pełnowartościowego białka").

Jak najdalej trzymałam się od awokado „(bo jest bardzo kaloryczne i zawiera dużo tłuszczu"), orzechów („bo są bardzo kaloryczne i tłuste"), marchewki („bo ma wysoki indeks glikemiczny"), kaszy („zawiera dużo węglowodanów, więc jest tucząca").

Krótko mówiąc – jadłam kompletnie bezmyślnie i bezsensownie.

A kiedy zaczęłam myśleć i wpadłam na ten genialny pomysł, żeby świadomie, racjonalnie i aktywnie podejść do tego tematu, nagle odkryłam, że wszystko jest odwrotnie niż mi się kiedyś wydawało!!!

Zupki z proszku to prawie sama chemia, która niszczy organizm od środka. Suplement diety to chemiczne lekarstwo, które nazywa się inaczej, żeby wykorzystać lukę w prawie i nie podlegać obowiązkowi badań. Jest to więc fałszywe lekarstwo, którego nie zbadano przed wpuszczeniem na rynek.

A poza tym syntetycznie wyprodukowany magnez wcale nie działa na organizm tak, jak magnez naturalnie występujący w roślinach. Kurczak już dawno nie jest najchudszym mięsem, bo jest na siłę tuczony i karmiony antybiotykami. Kaszanka wcale nie jest najlepszym źródłem żelaza, a mięso wcale nie jest jedynym źródłem pełnowartościowego białka.

Po prostu.

Obiegowe opinie są szczątkowe, ułomne i zawierają tylko ułamek prawdy.

Prawdziwej prawdy trzeba świadomie poszukać.

Kiedy więc zaczęłam myśleć i przełączyłam się w tryb aktywnego, świadomego opiekowania moim życiem, nagle odkryłam, że awokado zawiera najzdrowszy tłuszcz, od którego wcale się nie tyje!

Orzechy też! Poza tym mają też naturalny, prawdziwy i najbardziej skuteczny magnez i inne minerały!

Marchewka jest mistrzostwem świata w dyscyplinie ochrony przed rakiem i wzmacniania naturalnej odporności na infekcje.

A kasza jest fantastycznym źródłem białka!!!

A poza tym zrozumiałam, że liczenie kalorii jest kompletnie bez sensu! Sprawdza się być może w warunkach laboratoryjnych, gdzie obiekt siedzi na białym blacie, jest karmiony, wyprowadzany na spacer, budzony, usypiany, stawiany na bieżnię, a potem znów sadzany na krzesło. Czyli raczej nie używa swojego własnego umysłu. A czy wiesz, że umysł spala mnóstwo kalorii podczas pracy?

Mnóstwo! I kto policzy ile kalorii z pożywienie potrzebuję do napisania rozdziału tej książki albo poprowadzenia jednej godziny programu w radiu? Bo powiem ci, że po godzinie mówienia do mikrofonu jestem głodna jak wilk. Po dwóch godzinach pisania muszę zrobić przerwę i coś zjeść.

Człowiek zużywa kalorie na wiele różnych sposobów, wcale niekoniecznie tylko podczas biegania czy jazdy na rowerze. Wysiłek umysłowy jest tak samo wyczerpujący i wymaga równie bogatego i odżywczego jedzenia jak wysiłek fizyczny.

Przestałam więc w ogóle zwracać uwagę na to ile coś ma kalorii. Jeśli jest naturalne, nie przetworzone przez człowieka, to na pewno jest dla mnie dobre.

No i tak właśnie odkryłam następne dwa skarby naszej cywilizacji: awokado i orzechy.

ROZDZIAŁ 35

Awokado

Siedziałam niezdecydowana nad talerzem sałatki. Jeszcze trochę kręciło mi się w głowie od pierwszych objawów choroby wysokościowej, z czym wiązało się też dziwnie obezwładniające osłabienie. To takie uczucie, jakby twoje ciało na chwilę przestało być twoje, bo zajęło się innymi, ważniejszymi sprawami.

Wejście po schodach na pierwsze piętro było wielkim wysiłkiem. Oddychanie nagle okazało się prawdziwym wyzwaniem, bo chociaż nabierałam powietrza tak jak zawsze, miałam wrażenie, że jest go za mało.

I rzeczywiście było.

Wysoko nad poziomem morza powietrze zawiera mniej tlenu, stąd poczucie duszności. Do tego lekkie zawroty głowy i przedziwne poczucie niebycia sobą. Tak jakby ktoś znienacka walnął cię pałką po głowie i wciąż nie możesz dojść do siebie.

Wysoko nad poziomem morza jest mniej tlenu, stąd osłabienie i poczucie duszności

Tak właśnie wygląda lekka postać choroby wysokościowej, której dostaje się wtedy, kiedy człowiek zbyt szybko znajdzie się bardzo wysoko.

Ja przyleciałam samolotem. Z Limy leżącej tuż nad poziomem morza do Cuzco na 3200. Oczywiście wiedziałam o tym, że najlepszym lekarstwem jest odpowiednie jedzenie, unikanie alkoholu i sen. Po dwóch dniach objawy znikną, a ja znów powrócę w pełni do mojego umysłu i ciała.

No tylko to awokado...
Zawahałam się. Trzymałam w rękach widelec, ale nie mogłam się zdecydować.

– Dobre, zdrowe – przekonywała mnie kucharka.
– Wiem – odrzekłam. – Ale ja nie lubię awokado.
– Nie lubisz awokado? – powtórzyła ze zdumieniem, jakby to się nie mieściło w głowie.
– Nie lubię – powtórzyłam uparcie, doskonale zdając sobie sprawę z tego, że jest to nie do końca prawda.

No, ale to było w dawnych czasach, kiedy jeszcze nie korzystałam z własnego rozumu.

Przeczytałam wtedy gdzieś, że awokado jest tłuste i kaloryczne, a ja chciałam się odchudzać, więc natychmiast umieściłam awokado na mojej zakazanej liście. I chyba nigdy nawet porządnie go nie spróbowałam. Ja po prostu założyłam z góry, że nie będzie mi smakowało, ponieważ jest „niezdrowe", czyli tłuste.

Bo wtedy zupełnie nie zdawałam sobie sprawy z różnicy między tłuszczem w kiełbasie a tłuszczem w orzechach czy awokado.

Słowo „tłuszcz" budziło we mnie paniczny lęk, więc wyklęłam z mojej kuchni wszystko, co go zawierało. Wszystko. Od smalcu i masła przez śmietanę, pełnotłuste mleko i jogurty, aż po orzechy, migdały i awokado.

Ale jednocześnie jadłam okropnie tłuste rzeczy, wcale nie zdając sobie z tego sprawy, bo tłuszcz – i to w tej najgorszej odmianie – był w nich głęboko schowany. Takie jak choćby pasztet ze sklepu, wędliny, mięso i ryby z przemysłowej hodowli czy baton czekoladowy.

No, po prostu wtedy jeszcze niewiele wiedziałam o tym w jaki sposób produkuje się żywność ani jaka jest różnica między zdrowymi i potrzebnymi tłuszczami zawartymi naturalnie w owocach, zbożach i warzywach a niezdrowym tłuszczem z wysoko przetworzonych produktów.

Kiedy więc zobaczyłam na moim talerzu awokado, zadrżałam. Byłam w Peru, wysoko w górach, potrzebowałam wzmocnienia i pomocy w dostosowaniu się do rozrzedzonego powietrza i niskiego ciśnienia, ale jednocześnie przecież nie chciałam zjeść czegoś tuczącego!

Takie było wtedy moje myślenie, kompletnie bezsensowne, bo przecież zdrowe, naturalne tłuszcze zawarte w tym owocu nie tylko wcale nie tuczą, ale pomagają schudnąć!

Wtedy jednak o tym nie wiedziałam.

Zawahałam się więc. Ścisnęłam widelec w garści. Rozejrzałam się. Może dałoby się zamówić coś innego? Małe szanse. Bar był mały i pełen głodnych ludzi. Wszyscy pili oczywiście herbatę z liści koki. I jedli sałatkę z awokado.

Nie było wyjścia.
Westchnęłam. Ale moje kiszki zagrały ponaglająco.

To awokado nawet wcale nie wyglądało źle. W duchu musiałam przyznać, że właściwie im dłużej na nie patrzyłam, tym większą miałam na nie ochotę. Pokrojone w plasterki, które miały niezwykłą barwę od słonecznie żółtej do szmaragdowozielonej. Zaprzyjaźnione z listkami sałaty, peruwiańskim pomidorem i talarkami cudownie pachnącej cebuli. Przełknęłam ślinę.

Byłam taka głodna!!!
A ta sałatka była taka pyszna!!!
Zakochałam się w awokado!!!

Było absolutnie zachwycające. Delikatne, kremowe, rozpływało się w ustach. Smakowało wyśmienicie! A do tego zawierało potężną dawkę bardzo potrzebnego mi wtedy żelaza. Zjadłam wszystko, do ostatniego okrucha.

I pomyślałam, że skoro to jest takie dobre i tak świetnie się po tym czuję, i skoro jedzą to tutaj wszyscy, to coś w tym musi być. I postanowiłam, że po powrocie do Polski przyjrzę mu się bez uprzedzeń.

Tymczasem przez następny miesiąc podróżowania po peruwiańskich górach codziennie jadłam awokado.

W sałatkach, w zupie, jako dodatek do drugiego dania i zamiast masła do bułki. Tak! To jest genialny wynalazek peruwiański!

Dojrzałe, miękkie awokado wystarczy obrać, wykroić fragment i rozsmarować go nożem na chlebie. Wygląda jak zielone masło, ale smakuje o niebo lepiej!

W Brazylii nauczyłam się pić koktajle owocowe z dodatkiem awokado. Bo tam nie jest uważane za słone warzywo do sałatek, ale za słodki owoc. Robi się z niego lody i desery.

Pewnego dnia w Manaus nad Rio Negro miły pan w ulicznej budce z jedzeniem nie miał żadnych owoców z wyjątkiem jednego, którego nazwa niewiele mi mówiła. Ale ponieważ było ogromnie gorąco, a ja byłam strasznie głodna i potrzebowałam natychmiast zasilić mój system czymś gładkim i chłodnym, nie dopytywałam więcej, tylko poprosiłam o koktajl z tego tajemniczego owocu.

Ach, jakie to było dobre!!!!

Jeden brazylijski banan, trochę wody i ten owoc o zagadkowej nazwie.

Wypiłam do dna, zamówiłam następny.

A dopiero później dowiedziałam się, że to był koktajl z awokado.

Daję słowo honoru, był po prostu fantastyczny! Orzeźwiający, pożywny, kremowy, i w sam raz słodki, chociaż oczywiście bez dodatku cukru.

Spróbuj. Świeże, dojrzałe owoce mają w sobie tak dużo naturalnej słodyczy, że naprawdę nie trzeba ich sztucznie dosładzać.

I tak właśnie zaczęła się moja wielka przyjaźń z awokado.

Najłatwiej otworzyć awokado w taki sposób, jak robi się to w Ameryce Południowej:

Dojrzałe, miękkie awokado opłucz w wodzie.

Przekrój je nożem wzdłuż na dwie części.

Odłóż nóż. Chwyć dłońmi awokado z dwóch stron i przekręć je w odwrotnych kierunkach. Wtedy łatwo odkleisz miąższ od pestki.

Przekrój dwie połówki znów wzdłuż na podłużne ćwiartki.

A teraz uwaga: chwyć ćwiartkę awokado za łupinę na jej obu końcach i wypchnij palcami miąższ do góry. Mówiąc inaczej: łódeczkę awokado przewróć na drugą stronę. Łupina awokado jest cienka i dość sztywna, więc dojrzały miąższ sam z niej wypadnie.

A ten ciemnozielony fragment tuż pod skórką to najcenniejsza i najzdrowsza część awokado.

Awokado obniża ilość złego cholesterolu i jednocześnie zwiększa ilość zdrowego, potrzebnego cholesterolu.

Awokado odchudza! Bo dostarcza ci zdrowych, potrzebnych tłuszczów, przez co także m.in. obniża twoją chęć na jedzenie czegoś niezdrowo tłustego (np. czipsów, parówki albo frytek).

Chroni przed nowotworami.
Wzmacnia zdrowotne właściwości innych warzyw i owoców zawierających karoten, m.in. marchwi i dyni, warto więc jeść je razem.
Działa przeciwzapalnie, pomaga uzdrowić ogniska zapalne w organizmie, przez co wspomaga także leczenie reumatyzmu i artretyzmu.
Chroni przed chorobami serca.

ROZDZIAŁ 36

Orzechy

Do orzechów podchodziłam jak do jeża. Wiedziałam, że być może są zdrowe, ale niektórzy ostrzegali, że są bardzo tłuste i kaloryczne. Byłam wtedy jeszcze na etapie bezmyślnego odchudzania się, czyli jadłam tylko to, co miało najmniej kalorii, zupełnie zdając sobie sprawy z tego, że wrzucam w siebie śmieciowe dietetyczne jogurty i dietetyczne ciastka, które zawierają syntetyczne dodatki przestawiające mój metabolizm na produkcję tłuszczu.

Właściwie może nawet niesłusznie użyłam słów „bezmyślne odchudzanie", bo ja bardzo dużo myślałam o tym co zrobić, żeby mieć szczupłą sylwetkę, regularnie ćwiczyłam, jeździłam na rowerze, przestałam jeść mięso.

I uwierzyłam reklamom, które przekonywały, że zdrowe odżywianie to właśnie dietetyczne produkty, z których ktoś specjalnie dla mnie usunął szkodliwy cukier i szkodliwy tłuszcz.

Wszystko pięknie, nikt jednak nie powiedział, że zamiast szkodliwego cukru i szkodliwego tłuszczu dodano dużo bardziej szkodliwe syntetyczne słodziki i substancje wypełniające.

Wtedy o tym nie wiedziałam i założyłam, że jeśli dietetycy zalecają jedzenie produktów dietetycznych, to na pewno mają rację. Teraz wiem, że jest inaczej, ale o tym napisałam więcej w poprzednich książkach.

Z mojego ówczesnego punktu widzenia orzechy oczywiście były zbyt kaloryczne, żeby można je było jeść. Omijałam je więc z daleka.

Ale z ludzkim organizmem jest tak, że potrzebuje do prawidłowego funkcjonowania kilku określonych rzeczy: białek, tłuszczów, węglowodanów, wody, witamin i soli mineralnych.

Musi je mieć.

W idealnej sytuacji dostaje je ze zdrowego, pełnowartościowego i najlepiej przyswajalnego źródła.

Jeżeli nie dostaje ich w zdrowej postaci, to będzie ich szukał w śmieciowym jedzeniu.

Ale to tak samo jakby porównać wodę z górskiego strumyka i wodę z błotnistej kałuży. Niby jedno i drugie to jest H_2O, ale w zupełnie inny sposób zostanie przez twój organizm potraktowane.

I tak samo jest z tłuszczami.

Jeżeli nie dostarczysz swojemu organizmowi zdrowych tłuszczów, których on potrzebuje do codziennej pracy, to będziesz miała dziwne zachcianki na tłustą kiełbasę albo majonez.

Gdyby ta kiełbasa i majonez były zrobione w domu z wyłącznie naturalnych składników, nie byłoby w tym jeszcze nic złego. Ale fabrycznie robiona kiełbasa i majonez mają w sobie najgorsze tłuszcze i masę szkodliwych chemicznych dodatków. Jeśli je zjesz, to nie tylko nie dostarczasz swojemu systemowi tego, co było mu potrzebne, ale w dodatku obciążasz go toksynami, które coraz trudniej usunąć. Bo jest ich coraz więcej we wszystkim.

Przyszedł więc dzień, kiedy zaczęłam używać mojego rozumu. Myśleć, czytać, rozumieć. I wtedy nagle mnie olśniło. Orzechy to genialny wynalazek, potrzebny zdrowemu organizmowi tak samo jak marchewka i jabłka!!!

A najbardziej tłuste orzechy brazylijskie? Ach, to po prostu cud! Zawierają superzdrowe tłuszcze – takie, które odżywiają twoje komórki i pomagają ci schudnąć! A do tego mają selen, który chroni przed rakiem, wzmacnia serce i układ odpornościowy. Czy wiesz, że kiedy masz za mało selenu, to jesteś ciągle zmęczona, ciągle łapiesz jakieś infekcje, przeziębienia i opryszczki?

Dostajesz gorączki i wtedy pewnie bierzesz jakiś popularny lek na „pierwsze objawy przeziębienia" i jeszcze bardziej utrudniasz swojemu organizmowi powrót do zdrowia i równowagi, bo ta podwyższona temperatura była znakiem, że

Kiedyś do orzechów
i do awokado
podchodziłam jak
do jeża

twój organizm przystąpił do działania. Walczy z wirusami. Troszczy się o ciebie.

A ty co robisz? Zalewasz go chemicznym napojem albo łykasz chemiczną tabletkę, która sztucznie zmusza komórki do zaprzestania działań. Bo lek na obniżenie gorączki wcale nie leczy ciebie z infekcji. On tylko sztucznie obniża gorączkę, czyli w pewien sposób zamraża akcję ratunkową twojego organizmu.

Prawda jest taka, że jeżeli cierpisz na infekcje, to masz zniszczony układ odpornościowy, który nie radzi sobie z wirusami, bakteriami i innymi drobnoustrojami, które mogą wywoływać choroby.

U zdrowego człowieka są dokładnie takie same zagrożenia, ale jego silny układ odpornościowy po prostu na bieżąco jest w stanie je zneutralizować.

W życiu chodzi więc o to, żeby wzmacniać i utrzymywać w dobrym stanie swój naturalny system obrony przed chorobami.

Robi się to poprzez zdrowy tryb życia i zdrowe jedzenie.

Zdrowe, czyli takie, które nie zawiera chemii. To nie znaczy, że musisz robić zakupy w ekologicznym sklepie.

To znaczy tylko tyle, że kupujesz jak najmniej przetworzone produkty (suszona fasola, ryż, kasza, marchew, kapusta itd.) i sam robisz z nich zdrowe jedzenie z dodatkiem naturalnych, prostych przypraw (pieprz, ziele angielskie, nać pietruszki itd.).

I pamiętasz o tym, żeby jeść to, co natura sprytnie i genialnie stworzyła, żebyś zapewniał swoim komórkom wszystko, czego potrzebują. Czyli także orzechy!

Ale nie w polewie czekoladowej (ze sztucznymi dodatkami i słodzikami, takimi jak syrop glukozowo-fruktozowy, kwas cytrynowy, emulgatory itd.). I nie prażone w sztucznie zrobionym oleju. I nie solone jodowaną solą z chemicznymi dodatkami.

Orzechy w formie naturalnej. Prawdziwe, tak jak zostały zaprojektowane przez naturę. Są naprawdę pyszne!

Spróbuj rano zjeść kilka orzechów. Takich, na jakie akurat masz ochotę – jednego brazylijskiego, dwa laskowe, jednego włoskiego. Albo kilka migdałów.

Ja zawsze mam ze sobą bardzo małe opakowanie orzechów i suszonych owoców na wypadek nagłego głodu.

Używam też orzechów i nasion do gotowania. Codziennie rano robię owsiankę z kaszą jaglaną, nasionami dyni i słonecznika. Piekę zdrowe ciastka z orzechami laskowymi albo włoskimi. Zdrowe, czyli bez sztucznego tłuszczu, bez cukru i jajek. Używam tylko pełnoziarnistej mąki i naturalnych składników: rodzynek, suszonych fig, moreli i daktyli, orzechów, płatków owsianych, cynamonu. Są pyszne!

Orzechy świetnie smakują też w kaszy albo ryżu. Wystarczy dodać je pod koniec gotowania. Nasiona dyni i słonecznika dodaję też bardzo często do gotowanych warzyw. No i chrupię je z przyjemnością na surowo.

Bo pamiętaj: twój organizm koniecznie potrzebuje tłuszczów. Zdrowe tłuszcze pomagają w utrzymaniu szczupłej sylwetki, siły i stanu wewnętrznej równowagi.

Tuczące są jedynie sztuczne tłuszcze zrobione przez człowieka: od margaryny przez oleje aż po wszystkie produkty, które je zawierają.

Orzechy, migdały, nasiona dyni i słonecznika dyni i to fantastyczne źródło zdrowych, potrzebnych tłuszczów.

Mają też wiele innych zalet:

- **zawierają bardzo dużo zdrowego białka**
- **migdały mają wyjątkowo dużo wapnia sprzyjającego budowie i regeneracji kości**
- **mają dużo witaminy E, która odmładza i wzmacnia skórę**
- **orzechy brazylijskie są bogate w selen, który chroni przed rakiem, przyśpiesza gojenie się ran, wzmacnia tarczycę i układ odpornościowy**
- **mają dużo żelaza, cynku i magnezu, który dobroczynnie wpływa na samopoczucie i pracę umysłu**
- **wzmacniają serce i chronią je przed chorobami (szczególnie orzechy laskowe i włoskie)**
- **obniżają poziom szkodliwego cholesterolu, zwiększają pożyteczny i potrzebny cholesterol**
- **mają dużo witamin.**

ROZDZIAŁ 37

Najlepszy napój energetyczny

Było tak gorąco, że szary asfalt wydawał się falować. Powietrze drżało. Słońce było jak wielka elektryczna grzałka z zamiarem usmażenia wszystkiego, co żyje. Także mnie. I mojego kolegę, Waldka, z którym wybrałam się na ten spacer.

– Gdzieś tu musi być – jęknął resztką sił.

Szukaliśmy świątyni. Już nawet nie pamiętam jakiej – może buddyjskiej, a może zoroastrańskiej lub hinduistycznej. Z planu miasta wynikało, że rzeczywiście powinna być właśnie tutaj. Ale jej nie było.

Był tylko upał tak wielki, że absolutnie wszystkie inne formy życia czekały w ukryciu chłodniejszego cienia. Nie było nawet jednej muchy. Jednego robaczka. Nie mówiąc już o większych istotach, takich jak psy albo ludzie. Byliśmy na tej skwarnej, gorejącej ulicy zupełnie sami. Jeśli nie liczyć słońca, które przypalało nas żywym ogniem.

– Nie dam rady! – westchnął w końcu Waldek i klapnął na krawężnik. – Nie mam siły!
– Gorąco jest – przyznałam.
Opuścił głowę w stronę kolan, jakby zrobiło mu się słabo.
– Źle się czujesz? – dotknęłam go w ramię.

Waldek tylko dyszał. Chwilowo nie był chyba w stanie zebrać myśli ani tym bardziej przełożyć ich na formę bardziej komunikatywną. Ja też, przyznaję, szłam coraz wolniej i z większą trudnością.

Taki wielki upał jest obezwładniający. Wydaje się wysysać z człowieka całą moc. Jak wampir przysysa się do każdego kawałka nagiej skóry i pije tak długo, aż poczujesz się bezsilny, słaby, pozbawiony chęci i choćby najmniej iskry życia.
Jest to stan spotykany nie tylko w Indiach, Wietnamie, Brazylii czy Tanzanii. Myślę, że jest bardzo częstym zjawiskiem także w Warszawie, Katowicach albo Szczecinie.

Podczas polskiego lata bywa gorąco. Nawet jeśli jest to upał mniejszej mocy niż ten tropikalny, to dla ludzi strefy umiarkowanej polskie +35 jest odczuwalne tak samo jak +45 dla Brazylijczyka.

Ciało słabnie, a razem z nim omdlewa też umysł. Siedzisz przy biurku w pracy, ale masz wrażenie, że twoje ciało lewituje, a myśli odfrunęły jak stado gołębi pocztowych. Masz katar, boli cię głowa. Myślisz, że to jakaś infekcja. Tymczasem w rzeczywistości jest to po prostu brak wody.

Ale wracam do Waldka.

Siedział przyklejony do krawężnika, tak jakby miał ochotę zostać tam na zawsze. Wtopić się w indyjski beton, zamknąć oczy i nie musieć ich otwierać z żadnego ważnego powodu.

Trzeba było działać, i to szybko. Wstałam.

Waldek westchnął i podniósł głowę.

– Napój energetyczny – wyszeptał suchymi ustami. – Tylko to przywróci mnie do życia.

O, chłopie! Roześmiałam się w duchu. Gdybyś ty wiedział!...

– Poczekaj tu na mnie – powiedziałam.

– Albo chociaż zimną colę – zajęczał.

– Zaraz wrócę.

– Myślisz, że tu jest jakiś sklep? – w jego głosie błysnęła nadzieja.

– Mam nadzieję – odrzekłam i nie tłumacząc niczego więcej, odeszłam.

Znalazłam kiosk, który był chyba tak samo stary jak oblepiające go promienie słońca. W środku wśród falujących hałd codziennych gazet spał miły pan. Był tak wtopiony w torebki, prasę i opakowania, że w pierwszej chwili go nie zauważyłam.

Zastukałam w szybę.

Ocknął się i spojrzał na mnie nieprzytomnym wzrokiem. Najwyraźniej nie wiedział, czy wciąż śni, czy może jego kiosk został porwany przez kosmitów i wylądował właśnie na obcej planecie.

Uśmiechnęłam się.

Poruszył brwiami. Sen? Nie sen?

Pchnęłam okienko.
– *Good morning!* – powiedziałam wesoło.

A więc jednak nie sen. Sprzedawca przekrzywił głowę i założył na noc okulary, żeby mi się lepiej przyjrzeć.
– Czy ma pan wodę? – zapytałam.
– *Bottled?* – odpowiedział pytaniem. – W butelce?
– Tak jest.
– Tylko duże. Półtora litra.
– Cudownie! Poproszę dwie!

Waldek wciąż siedział w tym samym miejscu i w tej samej pozycji, z łokciami na kolanach i spuszczoną głową.
– Proszę. Pij – podetknęłam mu butelkę.
– Woda? – skrzywił się. – Nie było żadnego napoju energetycznego? Tylko to postawiłoby mnie na nogi.
– Nie było – odrzekłam, chociaż prawdę mówiąc nawet nie sprawdziłam. Ale zrobiłam to celowo.

Napój energetyczny jest „energetyczny" tylko w nazwie i tylko w teorii. Działa podobnie jak biały cukier, czyli zmusza organizm do nagłego wydzielania bardzo dużej ilości insuliny, co daje wrażenie pobudzenia.

Ale jednocześnie, tuż w następnej sekundzie, organizm musi równie gwałtownie doprowadzić do obniżenia tego podwyższonego poziomu insuliny we krwi, więc uruchamia następną reakcję, która zużywa tę przed chwilą uzyskaną dodatkową energię, a poza tym trwale obniża jej poziom, więc w rezultacie po krótkim złudzeniu pobudzenia masz jeszcze mniej energii niż miałeś wcześniej.

Indie. Upał był
tak wielki, że
wszystkie inne formy
życia czekały w ukryciu

No i sprawdź z czego robi się napoje energetyczne. Z cukru, sztucznego koloru i chemicznych dodatków, które obciążają twój organizm, więc jeszcze bardziej cię osłabiają zamiast wzmacniać. To samo dotyczy coli i wszystkich innych napojów gazowanych.

– Pij – powtórzyłam i wcisnęłam Waldkowi butelkę do ręki.

Wziął ją niechętnie, z ociąganiem. Wypił łyk. Drugi. Trzeci. A potem nagle zacisnął palce na butelce i wiedziałam, że nawet gdybym spróbowała mu ją odebrać, nie oddałby jej za żadne skarby. Dlatego kupiłam dwie.

– Jezu! – powiedział Waldek i otarł pot z czoła.

– Lepiej ci?

Nie odpowiedział. Przyssał się znowu do butelki jak wygłodniałe niemowlę po zbyt długiej diecie.

Na jego skroniach pojawiły się dwa strumyki lśniącego w słońcu potu.

To dobry znak. Oddychał głęboko. A w rękach jak najdroższą ukochaną ściskał butelkę z wodą.

Wstał.

– Idziemy dalej? – domyśliłam się.

– To niesamowite! – wysapał w końcu.

Wyglądał teraz jak fontanna, którą niespodziewanie podłączono do prądu. Tryskał energią. Oczy mu błyszczały. Stopy same rwały się do marszu.

– Czuję się tak, jakbyś mi zrobiła zastrzyk z redbulla! – zawołał. – To niewiarygodne!

– Woda tak działa – odrzekłam.
Bo to prawda.

Wszystkie twoje komórki, wszystkie twoje wewnętrzne narządy – łącznie z sercem i mózgiem – potrzebują wody. Nie napojów gazowanych, nie piwa, nie kawy i nie herbaty, tylko wody. Czystej wody. Kiedy jesteś trochę odwodniony, cały twój system zwalnia, a potem zaczyna się zawieszać. To wtedy nie możesz zebrać myśli, skupić się, pracować, iść ani cieszyć się tym, że żyjesz. Bo wszystkie twoje komórki bez wody zacierają się jak silnik z niedostateczną ilością oleju.

Naprawdę. Spróbuj zrobić prosty eksperyment.

Kiedy jesteś zmęczony i masz wrażenie, że wszystkie siły z ciebie odpłynęły, wykorzystaj ich resztę na znalezienie czystej wody i wypij ją bez pośpiechu. Małymi łykami. Prawie od razu poczujesz się lepiej. Serio.

Waldek wyglądał jak nowo narodzony. I zdumiony tak bardzo, jakby przeżył właśnie uzdrawiający seans hipnotyczny.

– Nigdy w życiu bym nie uwierzył, że woda tak działa! – zawołał w końcu. – To jest lepsze od najlepszego energetyka!

– To prawda – roześmiałam się.

Wypiliśmy obie butelki, czyli w sumie trzy litry wody. I z każdym łykiem wstępowała w nas świeża energia. Rozpalony asfalt nie wydawał się już taki gorący, a słońce, które wcześniej smażyło nas jak na buchającym grillu, też przestało nam przeszkadzać.

To wszystko dzięki wodzie.

Podczas upału organizm włącza swój wewnętrzny układ chłodzący. Zasilany wodą. Kiedy ma jej wystarczającą ilość, chłodzi serce i inne organy, przez co masz poczucie odpowiedniej temperatury.

Podczas chłodu organizm włącza system wewnętrznego ogrzewania. Wtedy dobrze jest pić gorącą wodę, która nawadnia i rozgrzewa wewnętrzne narządy, które dzięki temu lepiej są w stanie dostosować się do trudnych warunków.

Woda jest potrzebna do wszystkiego. Do myślenia, trawienia, używania mięśni. Jest równie konieczna jak pożywienie. I tak samo jak w przypadku jedzenia, istnieje ogromna różnica między dobrą wodą a jej śmieciowymi odmianami.

Śmieciowe są wszystkie gazowane, kolorowe napoje, napoje energetyczne i wody smakowe, bo wszystkie są z cukrem i innymi chemicznymi dodatkami, takimi jak syrop glukozowo-fruktozowy, aromaty, kwas cytrynowy itp.

Dobra woda to taka, która wspomaga twój system i dostarcza ci energii. Taka jest czysta woda mineralna albo filtrowana. Chłodna w czasie upałów, ciepła lub gorąca w czasie chłodu.

Spróbuj dodać do wody plasterek świeżej pomarańczy, trochę świeżego imbiru i listków mięty. To samo możesz zrobić na gorąco.

Powiesz, że nie lubisz pić wody i właściwie nie masz na nią ochoty?

Zrób pewien prosty eksperyment.

Na biurku lub stole, przy którym pracujesz, postaw szklankę. Nalej do niej wody.
Nie, nie, wcale nie dlatego, że należy się nawadniać.

Tylko na potrzeby tego doświadczenia.
Zajmij się swoimi sprawami. Nie czuj się w obowiązku picia tej wody. Szklanka ma tylko stać – na wszelki wypadek.

Wiesz co się stanie?

Najprawdopodobniej po kilku minutach od rozpoczęcia eksperymentu sięgniesz po szklankę, bo poczujesz pragnienie. Naprawdę. Wypijesz kilka łyków i pomyślisz:
– Kurczę, fajna ta woda.
Wypijesz do końca i odtąd pewnie będziesz już pamiętał, żeby zawsze pod ręką mieć butelkę i szklankę.

I o to właśnie chodzi.

Twój organizm sam podpowie ci ile potrzebujesz pić. Odruchowo będziesz sięgał po kilka łyków, które na bieżąco będą nawadniały i odświeżały cię od środka. I jednocześnie odkryjesz, że fantastycznie łatwo zaczyna ci się myśleć i pracować.

Ja zawsze mam przy sobie butelkę z wodą. Czasem wypijam więcej, czasem mniej. Czasem piję ją z plastrem pomarańczy, ale najczęściej czystą. Wypróbowałam różne rodzaje wody mineralnej i znalazłam taką, która mi smakuje.

W restauracji po posiłku zawsze proszę o szklankę gorącej, świeżo ugotowanej wody, która najlepiej uruchamia i wzmacnia trawienie. Dużo lepiej niż herbata albo alkohol. I świetnie rozgrzewa.

A w gorące dni równie idealnie chłodzi.

Naprawdę.
Zwykła szklanka wody potrafi zdziałać cuda.

ROZDZIAŁ 38

Pozornie oczywisty fakt

Niedaleko mojego domu jest mała uliczka ocieniona drzewami. Daleko od ulic. Rzadko pojawiają się tam samochody. Lubię tamtędy biegać.

Pewnego dnia biegłam jak zwykle bez pośpiechu.

Zobaczyłam przed sobą całą tę pustą, cichą uliczkę. I zamknęłam oczy. Nie przestając biec.

Próbowałaś kiedyś czegoś takiego? Iść albo biec z zamkniętymi oczami. To niesamowite uczucie.

Najbardziej niezwykłe było to, że nagle poczułam ziemię pod moimi stopami. Wcześniej nie zwracałam na to uwagi. Oczy przynosiły mi tyle ciekawych wrażeń, że zajmowałam się wszystkim, co było dookoła – kwiatami w ogrodzie, zielenią liści, kolorem płotu, spojrzeniem psa, błękitem nieba, kształtem chmur, wzorem betonowych kafli. Nawet nie zdawałam sobie sprawy z tego, że tak dużo różnych

Poczułam nagle,
że jestem żywą istotą
na wielkiej planecie
zawieszonej w Kosmosie

informacji dostarcza mi mój wzrok. A mój umysł posłusznie się nimi interesuje.

Kiedy zamknęłam oczy, nagle cała moja uwaga przeniosła się w dół.

Na to, co było pod moimi stopami. Czyli na Ziemię.

W jej najbardziej metafizycznym znaczeniu.

Poczułam nagle, że jestem żywą istotą na wielkiej planecie zawieszonej w kosmosie. To właśnie było niesamowite. W jednej sekundzie odłączyłam się od wszystkiego, co mnie otaczało – od miasta, pracy, obowiązków, od pogody, zmęczenia i planów. Nagle dotarło do mnie, że żyję i że się poruszam. Nagle zdałam sobie sprawę z każdego kroku, jaki robię, z każdego ruchu rąk, z bicia mojego serca i oddychających płuc.

To było przedziwne uświadomienie sobie czegoś, czego przecież doświadczałam wiele razy wcześniej. Ale nigdy świadomie nie zwróciłam na to uwagi.

Bo przecież ja już sto razy byłam na tej uliczce. Tysiąc razy poruszałam stopami. Milion razy uderzało moje serce. Ale ja nigdy nie poświęciłam im świadomie uwagi. Umykał mi ten prosty i pozornie oczywisty fakt, że jestem żywą istotą na planecie Ziemia.

Pozornie oczywisty.

Czy wiesz, że takich pozornie oczywistych rzeczy jest mnóstwo dookoła?

Czy wiesz, że uświadomienie sobie ich istnienia robi OGROMNĄ różnicę w twoim życiu?

Naprawdę ogromną. Tak wielką, że wszystko zaczyna się zmieniać. Całe twoje życie zaczyna wyglądać inaczej. Myślisz inaczej, podejmujesz inne decyzje, spotykasz innych ludzi, którzy proponują ci inne rozwiązania.

Wszystko się wtedy zmienia.

I nagle zaczynasz nabierać przekonania, że wszystko ma sens. I rozumiesz na czym on polega.

A wszystko zależy od tych małych, pozornie niewiele znaczących drobiazgów, które zależą tylko od ciebie.

Zobacz.

Kiedy wychodzisz rano biegać, możesz to zrobić na kilka sposobów.

Możesz biec przez miasto wśród spalin, przechodniów i neonów. Twoje ciało się zmęczy, a twój umysł będzie równie zmęczony, bo przecież twoja podświadomość nieustannie rejestruje wszystkie sygnały. Także te, na które nie zwracasz uwagi świadomym umysłem.

Podświadomość widzi każde pojedyncze mrugnięcie neonu, słyszy każde zgrzytnięcie kamieni, krzyk i pisk opon. Widzi twarze mijanych ludzi, mimo że ty ich nie dostrzegasz. Odczytuje z nich nastroje i potencjalne zagrożenia. Przez cały czas pracuje. A ty biegniesz i wydaje ci się, że odpoczywasz.

Zupełnie inaczej będzie na polnej drodze, gdzie w powietrzu unosi się zapach ziół, słychać cykanie świerszcza, gruchanie gołębia albo pohukiwanie sowy. Pluszcze strumyk, szumią liście na drzewach. Twoje ciało pracuje, a twój umysł odpoczywa. Nie jest atakowany przez hałas samochodów, syreny, klaksony ani huk maszyny do cięcia płyt chodnikowych.

Twoja podświadomość wciąż zbiera sygnały z otaczającego cię świata, ale tym razem bez pełnego strachu napięcia.

Rozumiesz na czym polega różnica?

Każde miejsce, w którym się znajdujesz, ma określony wpływ na twoją duszę, umysł i ciało.

Najczęściej nie zdajesz sobie z tego sprawy, bo jesteś przyzwyczajony do pewnych sytuacji. Prawdopodobnie wychowałeś się w mieście i wydaje ci się, że ono jest równie naturalne jak las.

Ale w rzeczywistości to są dwa zupełnie różne światy.

I w zupełnie różny sposób działają na całego ciebie.

Odkryłam to kiedy zaczęłam podróżować i kiedy dotarłam do dżungli. Pewnego dnia z daleka spojrzałam na moje wcześniejsze życie i nagle zrozumiałam jaka ogromna różnica jest między betonem miasta a oddechem przyrody.

To jest jedna z takich rzeczy, z których pewnie nie do końca zdajesz sobie sprawę, ale które mają na ciebie wpływ decydujący o tym jak się czujesz, czy jesteś zdrowy i zadowolony z życia.

Czy wiesz dlaczego przez cały rok marzysz o wakacjach?

Właśnie dlatego.

Bo w czasie urlopu wyjeżdżasz z miasta i spędzasz więcej czasu blisko natury. Twoja podświadomość za tym tęskni i tego potrzebuje. Dlatego wizja urlopu jest dla ciebie tak cudowna i upragniona.

Wiem, teraz powiesz, że przecież praca, biuro, obowiązki, że przecież nikt nie może sobie pozwolić na to, żeby rzucić miasto i przeprowadzić się na wieś, więc co to ma być, jakaś utopia? Po co ja o tym piszę, skoro to jest totalnie nieosiągalne???

Piszę o tym po to, żeby ci uświadomić, że TO JEST OSIĄGALNE. I to właśnie znajduje się w tysiącu małych drobiazgów, z których nie zdajesz sobie sprawy i o których nieświadomie codziennie podejmujesz wiele drobnych decyzji.

Choćby to dokąd idziesz na spacer.
Czy na główną ulicę z tramwajami i sklepami, czy może na tylną uliczkę, gdzie rosną stare lipy?

To jest OGROMNA różnica.

W pierwszym przypadku dodatkowo stymulujesz swój umysł, który jest atakowany dziesiątkami agresywnych sygnałów. Co chwilę podskakuje jak dźgnięty zgrzytaniem kół po szynach, głośnymi krokami, trzaśnięciem drzwi. Za wszelką cenę usiłuje nadążyć za pędzącymi obrazami, dźwiękami i zapachami.
Twoja podświadomość przez cały czas czuwa, zapisuje wnioski, analizuje. Ani na chwilę nie przestaje pracować.

Czy wiesz co to oznacza w praktyce?

To, że twój umysł jest zmęczony. Wracasz do biura albo do domu i czujesz ciężar myśli. Znużenie. Niby chciałeś odpocząć, ale wcale nie jesteś odpoczęty.

Jeśli naprawdę chcesz odpocząć, znajdź takie miejsce, gdzie panuje spokój. Gdzie nie słychać miasta, gdzie nie ma sklepów ani krzykliwych reklam. Wystarczy mała uliczka, park, ogród botaniczny.

Jeśli mieszkasz za miastem – tym lepiej. Pewnie masz w pobliżu las, pole albo łąkę. Czy wiesz jak fantastycznie odświeżająco działa na umysł widok zwykłej zielonej trawy, drzew i kwiatów?

No i czy wiesz, że kiedy twój umysł jest zrelaksowany, to wszystko w twoim ciele lepiej zaczyna działać?

Lepiej jest trawione jedzenie, więc skuteczniej są usuwane toksyny, a komórki dostają wszystkie składniki odżywcze potrzebne do życia.

Wtedy twoja skóra lepiej wygląda, a sylwetka jest szczupła.

Kiedy dobrze wyglądasz, podnosi się twoje poczucie własnej wartości.

Kiedy podnosi się twoje poczucie własnej wartości, czujesz więcej energii i odwagi, żeby sięgnąć po to, czego pragniesz.

To wtedy właśnie odnosisz sukcesy i czujesz się świetnie w swoim życiu.

Rozumiesz?

Cofnijmy się jeszcze raz do początku.

ROZDZIAŁ 39

Dzika róża

Pewnie cię zaskoczę. Ja też byłam zdziwiona kiedy to odkryłam.

Zaczęłam czytać etykiety na produktach żywnościowych dostępnych w sklepie. Sprawdziłam co oznaczają dziwne nazwy i odkryłam, że właściwie we wszystkich rzeczach zrobionych w fabrykach jedzenia są chemiczne, sztuczne dodatki. Potem sprawdziłam jak te dodatki działają na organizm. I wtedy przestałam je jeść.

To był pierwszy krok. Ale następnych nie mogłam już zatrzymać.

Zaczęłam sprawdzać z czego jest zrobione jedzenie dla kotów. I przestawiłam moje dwa koty na zdrowe jedzenie.

Zaczęłam sprawdzać z czego są zrobione kosmetyki. I tu odkryłam coś zaskakującego.

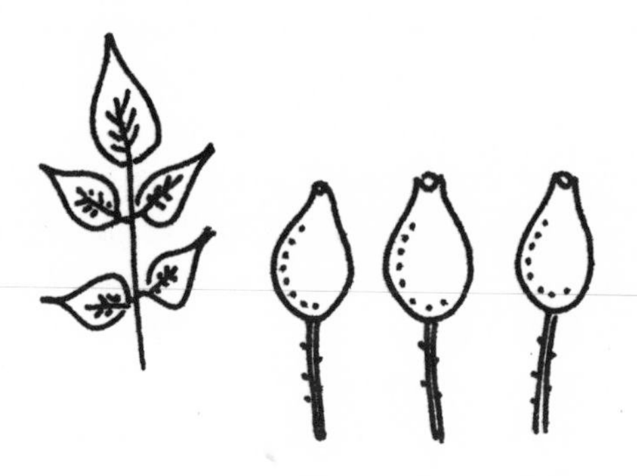

Oleju z pestek dzikiej
róży używały dawne
panie, żeby dbać
o cerę i włosy

To znaczy najpierw zaskoczenia nie było. Domyślałam się, że w fabrycznie robionych kosmetykach jest tyle samo chemicznych dodatków, co w jedzeniu. Wiedziałam, że dodaje się do nich rakotwórcze środki konserwujące, czyli parabeny.

Wkrótce potem odkryłam też, że przemysł kosmetyczny zaczął stosować nanocząsteczki, czyli mikroskopijnie małe cząsteczki chemicznych substancji, które są w stanie przenikać przez skórę w głąb organizmu.

Najpierw trzeba je chemicznie zmniejszyć, czyli zmienić ich naturalną strukturę. To znaczy, że są podwójnie szkodliwe, bo nie tylko zostały sztucznie rozerwane i ściśnięte, ale w dodatku wchodzą do wnętrza organizmu i atakują ludzkie komórki.

Odrzuciłam więc wszystko z parabenami i nanocząsteczkami.

Ale to był tylko czubek góry lodowej.

Potem odkryłam inne szkodliwe substancje – takie jak choćby palmitynian retynilu albo oksybenzon dodawane do wielu kremów.

A potem następne i następne, i właściwie zrozumiałam, że nie mam wyjścia. Muszę znaleźć kogoś, kto robi naturalne kosmetyki.

Znalazłam taką firmę w Anglii. Zamówiłam przez Internet zestaw kosmetyków. Krem z marchwi, lawendowy żel pod oczy, owocowy balsam do ciała. Było drogo, ale pomyślałam, że po prostu to jest jedyne rozsądne rozwiązanie.

Przecież to, co umieszczam na mojej skórze, przenika do środka! I co z tego, że przestałam jeść chemię, jeśli dostarczam jej sobie codziennie pod postacią kremów nakładanych na skórę?

Dwa tygodnie później dostałam paczkę. W środku leżały śliczne zapakowane i cudownie pachnące słoiczki z ręcznie zrobionymi miksturami. Miały tylko trzy miesiące ważności. To dobrze, bo to znaczy, że były prawdziwe i naturalne, bo tylko to co jest naturalne, szybko się psuje.

Używałam ich codziennie. Ale przez cały czas zastanawiałam się czy istnieje jakieś prostsze rozwiązanie. No przecież nie będę zamawiała kremów z Anglii! W dodatku za bardzo wysoką cenę!

Akurat w tym samym czasie dostałam maila od dawnej znajomej, która pisała mi między innymi o swoim najnowszym odkryciu: dziewczynie z Kanady, która założyła firmę i robi zdrowe, naturalne kosmetyki.

Westchnęłam. Obejrzałam jej stronę w Internecie. Tak, to zdecydowanie miało sens. To nie była fabryka, tylko jednoosobowa manufaktura. Dziewczyna hodowała w swoim ogrodzie zioła i własnoręcznie robiła z nich kosmetyki. I pięknie o nich pisała. O kroplach rosy, słońcu, kwiatach i życiowej sile roślin.

Przekonała mnie.

Zrobiłam zamówienie przez Internet. Te kosmetyki były jeszcze droższe od tych angielskich, ale trudno. Myślałam wtedy, że to jest jedyne rozwiązanie. I byłam w błędzie, oczywiście, i śmieję się teraz kiedy to piszę, ale wiesz jak to jest – najciemniej bywa pod latarnią. Ale po kolei.

Dostałam paczkę z Kanady. Czerwony krem z płatków róży, aloesowo-ziołowy krem pod oczy, czekoladowe serum do skóry, cudownie pachnący olejek z rokitnika, szampon z nagietkiem i czerwoną koniczyną. Bosko!

Przestałam używać sklepowych kremów, szamponów i odżywek. Te naturalne były łagodne. Nie zmuszały skóry do nagłego napięcia, które można by zmierzyć naukowymi przyrządami. Działały raczej długofalowo.

Dzień po dniu. Kochały komórki skóry zamiast je tresować.

W tym samym czasie przestałam malować paznokcie. Po prostu fizycznie czułam, że lakier blokuje coś na moich rękach. Tak jakby je obciążał. Jakby zamykał palcom dostęp do oddychania. Naprawdę. Tak jakby to był fizyczny ciężar, chociaż przecież lakier nie waży prawie nic.

Czasem przy szczególnych okazjach musiałam pomalować paznokcie, ale wtedy śpieszyłam się z powrotem do domu i pierwszą rzeczą po przyjściu było zdjęcie makijażu i zmycie lakieru.

Pewnego dnia przez przypadek trafiłam do sklepu ze świeżymi ziołami. Kupiłam kozieradkę. Pewnie jej nie znasz, a ma niesamowicie przyjemny aromat. Dodaję jej do ziemniaków i do pieczenia chleba. Kupiłam ekologiczną kurkumę, imbir i czarnuszkę. I zatrzymałam się przy małej lodówce.

– A co to? – zapytałam.
W środku tłoczyły się małe, brązowe butelki.
– Olej z dzikiej róży – powiedziała sprzedawczyni.

I nagle mnie olśniło.
Przecież ja go znam!!! Oleju z pestek dzikiej róży używały dawne piękne panie, żeby dbać o cerę i włosy. Ma bardzo dużo witaminy C, która odżywia komórki, wygładza zmarszczki, nawilża, działa przeciwzapalnie i wzmacniająco.

I tak właśnie odkryłam najlepszy ekologiczny i 100% naturalny krem, jaki można sobie wyobrazić!
Szukałam go w Anglii, Kanadzie i na innych zagranicznych portalach, a tymczasem on był tuż pod moim nosem!

Sama się z tego teraz śmieję.
Wcześniej płaciłam sześćdziesiąt dolarów za słoiczek kremu z róży damasceńskiej! A teraz płacę 22 złote za butelkę czystego, ekologicznego, nierafinowanego, tłoczonego na zimno oleju z polskiej dzikiej róży, który ma lepsze i zdrowsze działanie!

Zwróć uwagę na kilka rzeczy.
Olej musi być nierafinowany.
Rafinacja to proces sztucznego „oczyszczania". Napisałam to w cudzysłowie, dlatego że to „oczyszczanie" polega na tym, żeby usunąć naturalne substancje, które powodują mętny osad, ciemny kolor albo zbyt szybkie psucie. Czyli to „oczyszczanie" ma na celu zabranie wszystkiego, co jest naturalne i najzdrowsze, żeby uzyskać produkt, który będzie ładnie wyglądał i długo stał na półce.

Rafinowanie to proces chemiczny, podczas którego stosuje się różne rozpuszczalniki i konserwanty. Inaczej mówiąc – rafinowanie służy temu, żeby zarobić więcej pieniędzy. A nie temu, żebyś ty miał lepszy, zdrowszy produkt.

To dotyczy wszystkiego, co jest poddawane rafinacji: soli, cukru, oleju i innych rzeczy.

Najlepiej jeśli olej pochodzi z roślin w ekologicznej uprawie. Czyli takiej, gdzie nie stosuje się chemicznych oprysków i nawozów. Bo wszystkie sztuczne, chemiczne substancje przenikają do wnętrza ludzi, zwierząt i roślin, i właściwie nie wiadomo jakie mają działanie, szczególnie jeśli są stosowane masowo i przez długi czas.

Czytaj etykiety.
Widziałam olej z pestek dyni z dodatkiem środków konserwujących. A przecież nie o to chodzi.
Olej powinien być czysty i bez żadnych dodatków.
I oczywiście tłoczony na zimno. To oznacza, że mechanicznie wyciśnięto z pestek oleistą ciecz.

Tłoczenie na ciepło oznacza, że pestki zostały wrzucone do maszyn, gdzie poddano je wielu różnych procesom – zgniataniu, wyciskaniu, pompowaniu wysokim ciśnieniem, gotowaniu, płukaniu, konserwowaniu i rozpuszczaniu przez chemiczne rozpuszczalniki. Cały ten proces niszczy naturalną, delikatną, wewnętrzną strukturę i zmienia jej właściwości.

Jest jeszcze jedna, dość zabawna rzecz.

Od pewnego czasu piekę chleb. Żytni, na prawdziwym zakwasie, z wieloma różnymi pestkami i dodatkami. Pyszny.

Miałam tylko jeden, malutki problem.

Chleb po wyrośnięciu trzeba było przełożyć do wysmarowanej olejem blachy. A ja przecież nie używam żadnego oleju do gotowania ani smażenia.

Jedyny olej, jaki miałam, to olej z pestek dzikiej róży, którego używałam zamiast kremu na twarz.

Ale zaraz.

Przecież czysty, nierafinowany, naturalny olej z dzikiej róży świetnie nadaje się też do gotowania!!!

Wysmarowałam blachę olejem. Nalałam go trochę za dużo, ale to nie szkodzi. Nadmiar wytarłam łokciem i rozsmarowałam olej na rękach. I śmiałam się przy tym na głos, bo bardzo zabawne wydało mi się to, że olej do pieczenia świetnie nadaje się do pielęgnacji skóry, nawilża ją i wzmacnia.

A do tego nadaje bardzo przyjemny kolor, bo olej z pestek dzikiej róży ma barwę różowo-pomarańczową. Skóra wygląda po nim jak lekko opalona. No i pięknie pachnie.

Owoce dzikiej róży zawierają bardzo dużo witaminy C, która – jak wiadomo – podnosi odporność, dzięki czemu organizm ma siłę samodzielnie bronić się przed chorobami. Dlatego zalecano je osobom chorym, osłabionym, zmartwionym, zestresowanym, wyczerpanym fizycznie i umysłowo.

Używano ich do leczenia depresji, przeziębień, biegunki, chorób wątroby i nerek.
Dzika róża ma działanie wzmacniające, pomaga przywrócić wewnętrzną równowagę, poprawia nastrój, zwiększa odporność.
Stosowana zewnętrznie chroni skórę, wygładza, nadaje jej elastyczność, ładny kolor.

Dzika róża działa też przeciwzapalnie. Pomaga w leczeniu trądziku i innych wewnętrznych stanów zapalnych, na przykład zwyrodnieniowego zapalenia stawów.

Pamiętasz co mówią w reklamach różnych kremów do twarzy? Że każdy jest najlepszy, bo ujędrnia skórę, wygładza zmarszczki, nawilża, zawiera witaminy i enzymy. Ale wszystkie te fabrycznie robione kremy muszą mieć różne konserwujące chemiczne dodatki.

Tymczasem olejek z dzikiej róży ma jeszcze lepsze właściwości – czyli wygładza, nawilża, zmiękcza, a także delikatnie złuszcza, równoważy i działa przeciwzapalnie, przez co pomaga na trądzik, a jednocześnie jest 100% naturalny, czyli w dłuższej perspektywie działa o wiele bardziej skutecznie i zdrowo.

Mam oczywiście na myśli ekologiczny olejek z dzikiej róży, czyli wyciśnięty z nasion bez chemicznych dodatków. Można go kupić w sklepach ekologicznych, także tych internetowych.

Ja przestałam używać chemicznie i fabrycznie produkowanych kremów.

Smaruję twarz olejkiem z dzikiej róży. Do ciała zamiast fabrycznych balsamów używam fantastycznego, ekologicznego oleju kokosowego.

W Polsce można teraz łatwo i wcale niedrogo dostać wiele różnych ekologicznych, ziołowych, naturalnych kosmetyków i środków czystości. Zrobiono je bez dodatku parabenów (rakotwórczych konserwantów), silikonów, sztucznych barwników i innych chemicznych, szkodliwych substancji, które ułatwiają produkcję, ale niszczą ludzi.

Ja kupuję w internetowym sklepie ekologiczny płyn do mycia podłóg, ekologiczny proszek do prania, ekologiczny szampon i odżywkę, żel do mycia twarzy, płyn do mycia naczyń, mleczko do czyszczenia łazienki, pastę do zębów i wiele innych rzeczy.

I wcale nie są to bardzo drogie produkty. Litr ekologicznego płynu do mycia naczyń kosztuje 19 złotych i jest tak wydajny, że używam jednej butelki przez pół roku. Ekologiczny płyn do mycia szyb (pół litra) kosztuje 15 zł, ekologiczny szampon z pomarańczy – 20 zł, a duży słoik ekologicznego oleju kokosowego – 14 zł.

W zwykłych supermarketach ich pewnie nie dostaniesz, ale spróbuj wpisać do wyszukiwarki hasło „ekologiczny krem" albo „ekologiczny płyn do mycia podłóg" i sama zobaczysz. Albo wpisz „ekologiczny sklep" i wtedy wszystko będziesz miała w jednym miejscu.

ROZDZIAŁ 40

Eliksir miód

Jest jednym z pięciu eliksirów nieśmiertelności, potrafi leczyć rany, wrzody i oparzenia, jest wspomniany w Biblii i był znany bogom, zwierzętom i ludziom od niepamiętnych czasów. Mam oczywiście na myśli miód, o którym całkiem bym zapomniała, bo właściwie przestałam go jeść.

Ale od początku.

Słyszałam kiedyś legendę Indian z plemienia Czirokezów o tym, że ludzie sami przyszli do Boga z prośbą, żeby stworzył im coś słodkiego. Wtedy Bóg zesłał na Ziemię pszczołę. Nie miała oczywiście żądła, bo to działo się w czasach, kiedy nie było potrzeby bronić się przed nikim. Pszczoła robiła miód i chętnie rozdawała go ludziom.

Potem wszystko zaczęło się zmieniać. Ludzie żądali więcej miodu, a pszczoły miały tylko tyle, ile udało im się wytworzyć z zebranego nektaru. Bóg nawet podobno zesłał na Ziemię Kwietnych Ludzi, którzy mieli zadbać o to, żeby kwiatów ze słodkim nektarem było pod dostatkiem.

Ale wiesz jak to jest. Kiedy człowiek zasmakuje w czymś, co oszałamia jego zmysły, traci nad sobą kontrolę. Kiedy więc znowu ludzie napadli na pszczoły i zabrali im cały zapas miodu, Bóg postanowił dać pszczole żądło, żeby mogła się bronić. I tak jest do dziś.

W Starożytnym Egipcie jednym z przydomków faraona był „Król Pszczół". Symbolami Dolnego Egiptu były papirus, kobra i pszczoła. Było specjalne stanowisko Hodowcy Pszczół, który zarządzał królewskimi ulami. Miód zbierano, przecedzano i wlewano do glinianych dzbanów, gdzie mógł leżeć przez długie lata.

Przy świątyniach były też specjalne ule, z których zbierano miód do składania ofiar bogom i robienia maści leczących rany. Miód ma właściwości przeciwbakteryjne i ściągające. I był wyjątkowym przysmakiem, dostępnym tylko szlachetnie urodzonym i majętnym. Zwykły chłop nie miał co marzyć o słodyczach. Cukru jeszcze wtedy nie znano.

W medycynie ajurwedyjskiej starożytnych Indii dzielono miód na osiem rodzajów w zależności od gatunku pszczół, które go zebrały. Robiono z niego lekarstwa na wirusowe zapalenie wątroby, zapalenie oskrzeli, gorączkę, niestrawność, epilepsję, hemoroidy, gruźlicę, cukrzycę, wrzody, choroby przewodu pokarmowego, oczu, skóry, układu moczowego, krwi i wielu innych, między innymi trąd, syfilis i ospę. Zalecano go na wzmocnienie, odbudowanie wewnętrznej siły i odporności.

Leczono nim choroby górnych dróg oddechowych i kaszel. Pastą z miodu z dodatkiem sklarowanego masła i ziół smarowano trudno gojące się i zainfekowane rany.

Podobnie było w starożytnej medycynie chińskiej. Używano go w wielu recepturach na różne dolegliwości, zalecano też do jedzenia ludziom cierpiącym na stres i bezsenność.

Jedzenie miodu jest zalecane przez proroka Mahometa w Koranie.

Jest koszerne – czyli dozwolone – w judaizmie, mimo że same owady i wszystkie inne rzeczy przez nie robione są zakazane.

W Imperium Majów w Ameryce Środkowej miód też był bardzo ważny. Ostrożnie go zbierano, dodawano do słodzenia napojów i składano w ofierze bogom.

W suchej, pustynnej dolinie Wadi Du'an w Jemenie mieszkają mistrzowie, którzy robią słynny miód z dzikich kwiatów o wyjątkowych właściwościach. Sami zresztą zjadają po łyżce miodu dziennie, żeby zachować młodość i siłę.

Właściwie wszędzie, gdzie tylko spojrzysz – od starożytnej Polski i Irlandii, przez Egipt i Rzym, aż po Indian mieszkających na amerykańskich preriach albo w amazońskiej dżungli – wszyscy kochali miód i traktowali go jak cenny skarb.

Jest nawet cała dziedzina medycyny zwana apiterapią, która do leczenia używa nie tylko miodu, ale i innych rzeczy pochodzących od pszczół – propolisu (czyli kitu pszczelego), pyłku kwiatowego i pierzgi (czyli nadtrawionego pyłku, którym pszczoły karmią swoje dzieci), mleczka i jadu pszczelego.

Kiedy przestałam jeść cukier, przerzuciłam się na miód. Na początku nie zdawałam sobie sprawy z tego czym się różnią różne miody i dlaczego jeden kosztuje dwadzieścia złotych, a drugi pięć. Ale – jak już wcześniej wspomniałam – lubię używać swojego umysłu i chętnie rozwiązuję takie codzienne sklepowe zagadki.

I tak odkryłam, że miody są różne.

Niektóre są prawdziwe, a inne tylko udają miód.

Pewnie już wiesz, ale na wszelki wypadek dodam: ludzie robią fałszywy miód po to, żeby obniżyć jego cenę. Klient przychodzi do sklepu i patrzy na półkę. Widzi trzy słoiki z miodem. Jeden kosztuje dwadzieścia złotych, drugi dziesięć, a trzeci pięć. Na każdym jest napisane, że to pyszny miód.

Przeczytaj etykietę.

W najtańszym miodzie pewnie znajdziesz dodatek cukru, syropu glukozowo-fruktozowego, aromatu i innych chemicznych substancji, które niszczą od środka twój organizm.

Na etykiecie drugiego miodu być może będzie napisane coś w rodzaju „mieszanka miodów z krajów...". Pomyślisz sobie:

– Aha, wymieszali różne miody po to, żeby stworzyć nowy, ciekawszy smak.

Ja bym tak kiedyś pomyślała. Wtedy, kiedy jeszcze nie zdawałam sobie sprawy z tego jak działa przemysł spożywczy.

Prawda jest taka, że jedynym celem producenta jest zarobienie jak największej ilości pieniędzy w możliwie najkrótszym czasie.

I jest to rzecz dość zrozumiała w naszych czasach. Ty byś tak nie chciał?

Prawdziwy, zdrowy miód jest dość drogi. To dlatego, że polski pszczelarz musi spełniać pewne warunki dotyczące uli, pszczół i roślin. I dlatego jeżeli podaje adres pasieki i podpisuje się z imienia i nazwiska na słoiku miodu, to masz pewność, że to jest prawdziwy miód. Idealnie jeżeli pasieka znajduje się w obszarze chronionym, gdzie rośliny ani ziemia nie mają kontaktu ze sztucznymi nawozami i opryskami. Bo przecież wszystkie te chemiczne substancje przenikają do roślin, do pyłku, a wraz z nim także do miodu. Dlatego najlepszy miód to taki, który został zebrany w ekologicznym gospodarstwie. Naprawdę. Warto dopłacić kilka złotych za coś, co ma prawdziwą wartość i będzie miało wyłącznie dobroczynny wpływ na twój organizm.

Są też tacy, którzy chcieli się szybko wzbogacić. Nie będą zakładali pasieki ani zajmowali się pszczołami.

Oni tylko kupią kilka tanich miodów najgorszej jakości, wymieszają je ze sobą, podgrzeją, żeby miody nabrały jednolitej konsystencji, a potem wstawią do sklepu.

Rozumiesz różnicę?

Pan pszczelarz w pasiece robi dobry, prawdziwy miód.

A czym jest zlewka tanich miodów z nieznanych miejsc, gdzie być może dodaje się do nich cukru, antybiotyków albo chemikaliów, które mają poprawić jego wygląd albo przedłużyć przechowywanie? To jest właśnie sekret tajemniczo brzmiącego napisu „mieszanka miodów z krajów...". Serio? Tego właśnie chcesz?

To samo dotyczy produktów z dodatkiem miodu.

Wiem, przyjemnie jest wierzyć, że ktoś specjalnie dla ciebie upiekł ciasteczka z miodem albo chleb na miodzie.

Jeśli chcesz mieć chleb na miodzie, musisz go sama zrobić. Albo mieć męża piekarza.

Bo w fabryce jedzenia używa się najtańszych i najgorszej jakości składników, do których dodaje się masę chemii, żeby gotowemu produktowi nadać fajny wygląd, sztuczny smak i sztuczny zapach.

Jeśli więc masz ochotę na miód, kupuj taki, który pochodzi z ekologicznej pasieki. Najlepiej, jeżeli na etykiecie pan pszczelarz będzie miał odwagę i chęć podpisać się imieniem i nazwiskiem, i podać adres swojej pasieki.

Miód ma właściwości bakteriobójcze i antyseptyczne, co oznacza, że zabija nie tylko bakterie, ale także wirusy, grzyby i inne mikroorganizmy. Dlatego używano go do leczenia trudno gojących się ran.

Pomaga w leczeniu bakteryjnych infekcji przewodu pokarmowego, także biegunki bakteryjnej.

Działa przeciwzapalnie.

Zwiększa wydolność fizyczną – podobno sportowcy biorący udział w starożytnych igrzyskach jedli przed zawodami suszone figi z miodem.

Pomaga wyleczyć kaszel (szczególnie dobrze działa miód gryczany).

Zmniejsza objawy alergii sezonowej.

W medycynie ajurwedyjskiej uważa się, że miód przywraca równowagę wewnętrzną, dociera do najgłębiej ukrytych tkanek i wzmacnia działanie ziołowych mieszanek.

Miód zawiera tak genialnie dobrane proporcje naturalnie występującej glukozy i fruktozy, że pomaga regulować prawidłowy poziom cukru we krwi (podczas gdy biały cukier i sztuczne słodziki – łącznie z syropem glukozowo-fruktozowym – go zakłócają.)

Działa odżywiająco i wzmacniająco na skórę twarzy – dlatego stosuje się czasem maseczki z miodu.

Pomaga na łupież i inne dolegliwości skóry głowy. Wzmacnia włosy.

Jest pożywny, czyli dostarcza potrzebnych witamin i minerałów, m.in. wapnia, miedzi, żelaza, magnezu, potasu i innych.

Chroni przed rakiem i guzami.

Pobudza i dodaje energii.

Dwa ostrzeżenia:

Nie należy podawać miodu niemowlętom do roku, bo zawiera bakterie, które mogą wywołać choroby.

Nie należy podgrzewać miodu powyżej 42°C, bo staje się bardzo ciężko strawny i w medycynie ajurwedyjskiej uważany za toksynę.

Miód zwiększa wydolność fizyczną, ale najlepiej pomaga się też zregenerować po wysiłku.

Oto najlepszy, najzdrowszy i najprostszy napój izotoniczny:

- dobra woda
- miód
- sok wyciśnięty z cytryny
- odrobina soli

Wymieszać i pić.
Idealnie nawadnia, wzmacnia i pomaga odzyskać siły.

Taka naturalna lemoniada jest też świetnym napojem dla dzieci w szkole.

Od starożytnej Polski
przez Egipt i Rzym
aż do Indian w dżungli
– wszyscy kochali miód

ROZDZIAŁ 41

Grzeszne pokusy

Stopniowo zaczęłam jeść coraz bardziej zdrowo. Szukałam takich rzeczy, które będą naturalne, nieprzetworzone, bez sztucznych dodatków. Czułam się coraz lepiej, znikły wszystkie problemy ze skórą, żołądkiem, złym samopoczuciem czy brakiem energii. Uznałam, że to dobry znak i dalej szłam w tym kierunku.

Aż pewnego dnia zrozumiałam, że właściwie całkiem zapomniałam o istnieniu takich rzeczy, które kiedyś towarzyszyły mi na co dzień: mrożonkach, puszkach, torebkach z proszkami do rozrobienia, mięsie, rybach, chlebie, serze, jogurtach i telewizji.

Tak, naprawdę! Wiem, że to może śmiesznie brzmi, ale to zdarzyło się równocześnie. Pewnego dnia weszłam do domu, spojrzałam przed siebie i uświadomiłam sobie, że w kącie salonu stoi telewizor. I zdumiałam się jego widokiem. Bo całkiem zapomniałam go oglądać.

Tak samo jak zapomniałam o tym, że kiedyś kiedyś uwielbiałam chleb z twarogiem.

Uwielbiałam go do czasu, kiedy odkryłam jak robi się chleb sprzedawany w sklepach. I kiedy dowiedziałam się, że mój ulubiony czarny chleb z ekologicznego sklepu jest pieczony na drożdżach (a nie na zakwasie) i z dodatkiem płatków ziemniaczanych (które są wysoko przetworzonym chemicznie dodatkiem używanym dla dodania lepkości).

Ten chleb ze sklepu po prostu przestał mi smakować. Bo kiedy wiem, że coś mi szkodzi, to po prostu tracę na to ochotę. Czasem piekę prawdziwy, zdrowy chleb na zakwasie z ekologicznej mąki. Ale takiego zwykłego sklepowego nie kupuję.

Wiesz dlaczego?

Bo moim punktem wyjścia nie jest dieta ani odchudzanie się dla osiągnięcia jeszcze jakieś innego celu, na przykład zdobycia uznania.

Moim nadrzędnym i najważniejszym celem jest DBANIE O SIEBIE. Ja opiekuję się sobą tak, jak opiekowałabym się najlepszym, ukochanym przyjacielem.

Czy gdybyś wiedział, że coś jest niezdrowe, przyniósłbyś to swojemu przyjacielowi do zjedzenia? Raczej nie. Pewnie próbowałbyś go namówić, żeby przestał to jeść albo pić.

Mnie nie trzeba namawiać.

Wiem w jaki sposób alkohol działa na ludzki organizm. Osobiście to sprawdziłam, dotarłam do szczegółowej wiedzy na temat ludzkich komórek i zawartych w nich białek. Przeczytałam. Zrozumiałam. Wiem jak działają komórki i białka. Wiem jakie to ma konsekwencje dla mojego zdrowia, samopoczucia i siły umysłu. Wiem też, że alkohol zakłóca ich działanie. Obniża naturalną odporność, niszczy wewnętrzną równowagę.

Zrobiłam więc jedyną logiczną, rozsądną i oczywistą z mojego punktu widzenia rzecz – przestałam pić alkohol.

Tak samo było z białym cukrem.

Czasem podczas spotkań autorskich ktoś mnie pyta z niedowierzaniem w głosie czy zdarza mi się „chwila słabości" i czy czasem oddaję się „grzesznej przyjemności".

To jest tak samo, jakbym ja zapytała ciebie teraz:

– Czy pijesz czasem denaturat?

– No coś ty?! – zawołałbyś z niesmakiem. – Przecież to jest trucizna!

– No ale czy nie kusi cię, żeby napić się czegoś, co ma taki ładny fioletowy kolor?

– Przecież to nieważne jaki ma kolor – odpowiedziałbyś.

– No, ale wiesz – przekonywałabym – podobno picie fioletowego napoju jest bardziej przyjemne. Daje większego kopa.

I pewnie nie przekonałabym cię do spróbowania, bo przecież każde dziecko wie, że denaturat jest szkodliwy. Na nalepce znajduje się nawet ostrzegawcza trupia główka.

Widzisz podobieństwo?

Na etykiecie alkoholu też znajduje się ostrzeżenie, że alkohol powoduje choroby i śmierć. Ale tego ostrzeżenia jakoś ludzie nie widzą. Może dlatego, że szkody wyrządzane przez denaturat następują bardzo szybko, a choroby wywoływane przez alkohol przychodzą po kilku, kilkunastu, a czasem kilkudziesięciu latach. Ale przychodzą. Na pewno. Bo alkohol jest trucizną.

Tak samo jak papierosy i narkotyki. Na papierosach też jest oficjalnie napisane, że wywołują raka płuc, przełyku, skracają życie i przynoszą inne nieszczęścia. A jednak ludzie je palą.

Ja po prostu zrozumiałam co oznaczają te napisy. Z ciekawości sprawdziłam w jaki sposób różne używki i dodatki wpływają na ludzki organizm.

A potem po prostu odrzuciłam to, co jest szkodliwe i niszczy mnie od środka.

Tylko tyle.

Więc kiedy ktoś mnie pyta czy miewam „grzeszną pokusę" i czy zajadam się czasem porcją pysznego śmietankowego tortu albo czy zdarza mi się zjeść hot-doga na stacji benzynowej, albo wstąpić do baru szybkiej obsługi na hamburgera, pizzę albo frytki, albo wypić piwo po obiedzie, albo wbić zęby w wołowy kotlet czy smażonego kurczaka, to ja patrzę na niego tak samo, jak spojrzałbyś na mnie gdybym zapytała czy ulegasz czasem pokusie wypicia tego ślicznego fioletowego denaturatu.

Odpowiedź brzmi:
– Nie.

Po prostu. Najzwyczajniej w świecie. Bez żalu ani poczucia, że sobie czegoś odmawiam.

Ja po prostu wiem, że nie chcę jeść ani pić niczego, co miałoby być dla mnie szkodliwe. Osłabić moje ciało, duszę albo umysł.
Ja po prostu chcę być zdrowa.
Tylko tyle.

A najdziwniejsze moim zdaniem jest to, że to się może komuś wydawać dziwne albo radykalne.

Co jest dziwnego w tym, że ja osobiście i świadomie dbam o to, żeby być zdrowa? Więc w absolutnie logicznej konsekwencji odrzucam to, co mi szkodzi i zamiast tego jem tylko to, co mnie wspiera, wzmacnia i daje mi siłę do życia???
Co jest w tym dziwnego???
Chyba tylko to, że to może kogoś dziwić.

Naprawdę.
Dla mnie to jest najbardziej oczywista, logiczna i racjonalna rzecz pod słońcem.

ROZDZIAŁ 42

Wielkie sprzątanie

Są rzeczy, których przestałam używać bez konkretnego powodu. Raczej dlatego, że tak mi podpowiadał organizm.

Najpierw przestałam pić kawę. Po prostu przestałam mieć na nią ochotę, szczególnie na mocne espresso. Czułam, że jest agresywne. Serce zaczynało mi walić, ręce drżały i nie czułam się wtedy najlepiej.

Czasem piję ekologiczną kawę zbożową, która fantastycznie rozgrzewa i pobudza, ale robi to w przyjazny, pokojowy sposób. Bez przemocy.

Potem przestałam pić herbatę. Mimo że wcześniej piłam ją litrami. Kupowałam specjalne mieszanki, czarną herbatę earl grey, zieloną herbatę z prażonym ryżem, białą z płatkami róży i chińską czerwoną z mango.

Najpierw przestałam pić czarną. Czułam, że jest dziwnie ciężka i bardzo wysusza. To samo uczucie miałam przy długo parzonej zielonej i białej herbacie, więc nauczyłam się je krótko parzyć i wyjmowałam fusy po trzydziestu sekundach.

Zbyt długo parzona czerwona herbata była bardziej mocna niż kawa z ekspresu. Atakowała serce i żołądek, który kurczył się boleśnie od nadmiaru... – nie wiem czego. Może kofeiny, może garbników albo innych równie agresywnych substancji.

Tak czy inaczej z przyzwyczajenia jeszcze przez jakiś czas parzyłam herbatę, ale zostawiałam ją po kilku łykach.

Aż pewnego dnia siedziałam w maleńkiej kawiarni w Krakowie. Brukowany plac, poranny rześki chłód, wilgotne plamy deszczu. Potrzebowałam czegoś rozgrzewającego. Wiedziałam, że kawa będzie zbyt mocna, postanowiłam więc zamówić herbatę.

– Mamy zieloną z pomarańczą – powiedziała miła kelnerka.

Usiadłam przy mikroskopijnym stoliku, westchnęłam z ulgą. A po chwili przede mną wylądowała szklanka gorącej wody. Na talerzyku obok leżał plaster pomarańczy i saszetka ekspresowej herbaty.

Włożyłam pomarańczę do szklanki. Zamieszałam. Pachniało cudownie. Wypiłam łyk. I drugi. Jakie to było dobre!!!!

Całkiem zapomniałam o torebce herbaty, bo naprawdę była zupełnie niepotrzebna.

Gorąca woda fantastycznie rozgrzewa. A plasterek pomarańczy dodaje jej egzotyczną nutę.

Przy okazji: czy wiesz, że do większości herbat smakowych sprzedawanych w sklepie dodaje się syntetyczne smaki i aromaty? Sprawdź. Na opakowaniu będzie napisane coś w rodzaju: „herbata czerwona z fiołkami", a w składnikach oprócz herbaty i fiołków zapewne znajdziesz słowo „aromat" albo „aromat identyczny z naturalnym". To są bardzo szkodliwe dodatki, działające podobnie jak glutaminian sodu. Więcej napisałam o tym w poprzednim tomie.

Przestałam więc pić typową herbatę. Jest mi niepotrzebna.

Rano piję yerba mate i wodę mineralną (jeśli jest gorąco) albo wodę gorącą (jeśli jest chłodno). Piję też ekologiczne ajurwedyjskie herbaty ziołowe zrobione ze 100% naturalnych składników, bez sztucznych aromatów i smaków. Są łagodne i pyszne, w wielu rodzajach – z miłorzębem, z eukaliptusem, z imbirem, pomarańczą, cynamonem, koprem włoskim, kozieradką, miętą, bazylią i innymi ziołami, dobranymi w bardzo smaczne mieszanki.

I podobnie dziwna historia zdarzyła mi się z miodem.
Kiedyś bardzo go lubiłam. Jadłam łyżkami. Dodawałam do owsianki albo do brązowego ryżu z rodzynkami.

Aż pewnego dnia podczas porządków w kuchni w jednej z szafek znalazłam dwa słoiki z miodem. I dopiero wtedy uświadomiłam sobie, że bardzo, bardzo dawno już do nich nie zaglądałam!

I wcale nie miałam na to ochoty.
I chyba wiem dlaczego tak jest.

Kiedy zaczęłam jeść wyłącznie zdrowe i naturalne rzeczy, najpierw mój organizm potrzebował trochę czasu, żeby oczyścić się wewnętrznie. Bo przecież przez lata niezdrowego jedzenia nagromadziły się w nim trudne do określenia ilości toksyn, chemicznych odpadków i trucizn.

Kiedyś właściwie codziennie jadłam coś ze sztucznymi dodatkami – a robiłam to nie zdając sobie zupełnie sprawy z tego, że znajdują się w moim ulubionym chlebie, soku z kartonu, jogurcie dietetycznym, gorzkiej czekoladzie i masie innych rzeczy, które wydawały mi się „zdrowe".

Potem stopniowo odkrywałam, że w tych wszystkich pozornie „zdrowych" rzeczach jest syrop glukozowo-fruktozowy, kwas cytrynowy, glutaminian sodu, sztuczne aromaty, słód jęczmienny, mleko w proszku, lecytyna sojowa (robiona z genetycznie modyfikowanej soi), emulgatory i inne niewinnie brzmiące trucizny.

I konsekwentnie wyrzucałam je z mojej kuchni.

Po pewnym czasie odkryłam, że właściwie nie mogę niczego kupować w sklepie, bo cała przemysłowo fabrykowana żywność jest czymś zatruwana. Zaczęłam więc gotować. Proste, szybkie rzeczy. Kasza gryczana z brokułami. Ziemniaki z brukselką. Owsianka z kaszą jaglaną.

Przez pierwszych kilka miesięcy w moim organizmie trwało sprzątanie. Czasem nie czułam się najlepiej. Wtedy zwalniałam, starałam się więcej odpoczywać. Gdybym wtedy zrobiła badania krwi, pewnie nie byłyby najlepsze. Ale ja wiedziałam, że trwa wielki wewnętrzny remont. Musiałam dać szansę moim wewnętrznym robotnikom, żeby młotkami odłupali nagromadzone śmieci. A podczas każdego porządnego remontu będzie wzbijał się kurz, prawda?

Pomyślałam więc, że poczekam kilka miesięcy. Tempo życia i pracy starałam się dostosować do moich możliwości. Czasem miałam mniej siły do biegania, więc po prostu szłam. Czasem byłam tak zmęczona, że szłam spać o siódmej wieczorem. Ale miałam głębokie wewnętrzne przekonanie, to podjęłam słuszną decyzję.

I rzeczywiście tak było.

Mniej więcej po pół roku poczułam nagle, że znowu jestem w 100% sobą. Że mam moc. Praca jest przyjemnością kiedy pomaga ci w niej jasny, czysty umysł. Życie jest łatwiejsze, kiedy prowadzi cię szczęśliwa, zadowolona dusza. A jeśli towarzyszy im równie sprawne ciało, to łatwo radzisz sobie z codziennością.

Tak, jestem przekonana o tym, że to wszystko zależy od zdrowego jedzenia i unikania tego, co ci szkodzi.

Mniej więcej w tym samym czasie kiedy poczułam, że mój organizm oczyścił się, odzyskał równowagę i wewnętrzną moc, odkryłam te dwa dawno niejedzone słoiki miodu.

Moja teoria jest następująca:

Kiedy twój organizm jest w stanie niezakłóconej, naturalnej siły i równowagi, w zupełności wystarczają mu pokarmy pochodzenia roślinnego, które są w dokładnie takim samym stanie energii metafizycznej. Są proste i mają czystą moc.

I dokładnie tak samo czuje się wtedy człowiek.

Z mojego dzisiejszego punktu widzenia mięso, ryby, jajka i sery są ciężkie. Obce. Zawierają trudne do przyswojenia komórki innych zwierząt, które nie są przyjazne dla mojego oczyszczonego organizmu. Przeszkadzają, obciążają i zużywają energię, którą wolę poświęcić na myślenie, tworzenie i życie. Mam poczucie, że takie jedzenie jest bardzo „ziemskie" w tym sensie, że zmusza do zatrzymania się przy najbardziej przyziemnych sprawach i nie pozwala na swobodne używanie wyobraźni i wszystkich sił umysłu.

Miód też wydaje mi się ciężki, wielokrotnie złożony i zawierający fragmenty wnętrzności innych zwierząt. I przestał mi smakować.

Wolę jeść tylko rośliny. Gotowane w małej ilości wody, na ciepło. Do tego surowe orzechy, zioła, owoce. To najbardziej wzmacniające jedzenie, jakie znam. A najbardziej niezwykłe jest w nim to, że wzmacnia nie tylko ciało, ale i duszę, i umysł. I to lubię w nim najbardziej.

Nie zabraniam sobie niczego. Jem wszystko, na co mam ochotę. Ale mam ochotę tylko na to, co jest dla mnie zdrowe i co mnie wspiera.

Nie zmuszaj się do niczego. Nie narzucaj sobie ograniczających zakazów.

Zaopiekuj się sobą.
Spróbuj zrozumieć co jest dla ciebie dobre i karm się tylko zdrowym jedzeniem.
Słuchaj swojego organizmu.

Kiedy pozwolisz mu się oczyścić, on sam dalej tobą pokieruje.

ROZDZIAŁ 43

Masz wybór

Wszystko zaczyna się od drobnych, ale bardzo ważnych wyborów, jakich dokonujesz w życiu na co dzień.

Na przykład od tego gdzie idziesz na spacer. Czy do galerii handlowej, czy do lasu.

Albo od tego co oglądasz w telewizji. Czy gwałtowny thriller, czy serial komediowy.

I od tego czego słuchasz podczas gotowania. Czy rozmów polityków, czy ulubionej muzyki.

I to było dla mnie następnym niesamowitym odkryciem.

Zawsze bardzo lubiłam słuchać radia. Uwielbiałam je za wszystko – za muzykę i za ciekawą wiedzę. I za to, że po drugiej stronie głośnika znajduje się niezwykły człowiek, który do mnie mówi.

Radio zawsze było dla mnie czymś magicznym.

Kiedy byłam małą dziewczynką, jeździliśmy na wakacje do Machlin. Dwie albo trzy rodziny, rodzice i gromadka dzieci. Rozbijaliśmy namioty nad jeziorem, łowiliśmy ryby, smażyliśmy je na patelni, graliśmy w piłkę, zbieraliśmy jagody. A codziennie rano ktoś głośno włączał radio. Jeszcze spałam, kiedy przez tkaninę namiotu docierały do mnie okrzyki rycerzy, tętent koni i szczęk szabel. To był „Pan Wołodyjowski", powieść w wydaniu dźwiękowym, czyli słuchowisko. A potem słoneczne, letnie piosenki, wesoły głos prowadzącego. To był niesamowity, inny świat, który wydobywał się z niepozornego czarnego pudełka!

Wtedy chyba zrozumiałam, że radio to coś absolutnie wyjątkowego, co będzie mi towarzyszyło na co dzień.

I tak było. Słuchałam audycji muzycznych, nowych piosenek, opowieści o zespołach. Uwielbiałam słuchowiska radiowe. Potrafiłam przez całą niedzielę malować i słuchać radia, bo wtedy nadawano słuchowiska w odcinkach. Na przykład pięć prawie godzinnych odcinków przez cały dzień.

Nic dziwnego, że w końcu i ja trafiłam do radia i zaczęłam w nim pracować.

Moja miłość do słuchania radia nie przeminęła.

I tu pojawił się problem.

Nie wiem kiedy to się stało, ale pewnego dnia uświadomiłam sobie, że właściwie słucham radia coraz mniej i coraz mniej, i coraz mniej. Włączam i szybko gaszę. Szukam innej stacji i czasem udaje mi się znaleźć coś ciekawego, ale rzadko. To bardzo dziwne. Radio jakby przestało nadawać się do słuchania.

Piszę to ze świadomością, że sama pracuję w radiu. Ale piszę teraz jako słuchacz, którym zawsze byłam i staram się wciąż być.

Włączam radio. W 90% przypadków słyszę rozmowę o polityce albo reklamy, albo mechaniczną, plastikową piosenkę.

Jest to dla mnie jedna z najdziwniejszych rzeczy na świecie.

Jak to się stało, że najważniejszą treścią w radiu jest to, co jeden polityk powiedział o innym polityku i co na ten temat sądzi trzeci polityk? Albo to, że odbył się zjazd jakiejś partii. Albo to, co politycy różnych partii sądzą na temat tego, co być może się wydarzy.

Z punktu widzenia mnie jako słuchacza to nie ma najmniejszego znaczenia i nie ma żadnego sensu.

To, co politycy uważają wzajemnie na swój temat, to jest ich sprawa. Przypuszczam nawet, że gdyby dziennikarz radiowy nie pytał o to w każdej rozmowie, politycy może zajęliby się w tym czasie ważniejszymi sprawami.

Ach, nie, przepraszam! Jaka ja jestem niemądra! Gdyby dziennikarze w radiu i w telewizji nie robili codziennie dziesiątków wywiadów z politykami, to politycy po prostu przestaliby wykonywać ten zawód, bo najbardziej atrakcyjne jest w nim to, że stajesz się sławny. Występujesz w radiu i w telewizji. Dziennikarze gromadzą się przy tobie z mikrofonami i pytają co sądzisz na temat innego polityka albo jakie jest twoje zdanie na temat tego, co zrobiła inna partia.

To jest kolejny skarb naszej cywilizacji –

Masz wybór

Ty decydujesz o tym, co cię otacza

Radio i telewizja tak aktywnie uczestniczą w życiu politycznym, jakby same chciały kandydować w wyborach.

Moim zdaniem sztucznie wywołują zainteresowanie czymś, co właściwie nie istnieje. Bo czym jest opinia jednego pana na temat drugiego pana? Albo jakie znaczenie dla mnie jako człowieka ma to, że partia pana X wybrała nowego przewodniczącego? Żadne. Nawet mniej niż żadne, bo to jest śmieciowa informacja, która wciska się do mojego umysłu mimo że nie jest tam mile widziana.

No i takie teraz są środki masowego przekazu. Radio, telewizja, prasa. Zasypują mnie śmieciowymi informacjami o tym co mówią różni politycy. A potem atakują agresywnymi reklamami, które wrzeszczą, że mają dla mnie najniższe ceny za towary, których nie chcę i nie potrzebuję.

No i tak stopniowo zaczęłam słuchać mniej radia, oglądać mniej telewizji i czytać mniej gazet.

Ale radio mam w każdym pokoju, bo przecież bez radia trudno sobie wyobrazić życie!

Wchodzę do kuchni. Będę gotować. Włączam radio.

Ładna piosenka. Obieram marchewkę. Reklamy. „Tylko teraz! Telewizor led dwadzieścia osiem cali za jedyne tysiąc złotych! Od wtorku do niedzieli!" – lektor wydziera się tak, jakby stał przed domem dla głuchych. A potem dziewczyna, która martwi się tym, że się poci, więc zaczęła zażywać tabletki, które nawet na tydzień zatrzymują pocenie. Ciężko byłoby sobie wyobrazić coś bardziej niezdrowego i szkodliwego. Przecież wydzielanie potu to jedna z funkcji naszej naturalnej wewnętrznej klimatyzacji! A potem lektor w sztucznie przyśpieszony komputerem sposób dodaje, że „przedużyciemprzeczytajulotkębokażdylekniewłaściwiest osowanyzagrażatwojemużyciuizdrowiu".

Siekam marchewkę. Chwytam za czajnik z gorącą wodą. Następna reklama pigułek na odchudzanie. Potem najtańsze mandarynki. I znów telewizor led za tysiąc złotych. Ręka mi drży. Wzbiera się we mnie zniecierpliwienie, niechęć, zły humor. Jakaś dziwnie negatywna energia, której wcale nie miałam wcześniej.

Wrzucam marchewkę do garnka, dodaję brokuły, sięgam po kaszę.

– Naszym gościem jest dzisiaj Józef Koman, przewodniczący klubu Siła Polski, widzę, że nie martwi się pan wynikami sondaży swojej partii?

– Nie, nie martwię się.

– Naprawdę? Gdyby wybory odbywały się dzisiaj, pana ugrupowanie nie weszłoby do sejmu.

– Jeszcze nic nie jest przesądzone, poza tym mam wiarę w mądre wybory Polaków.

– To co, myśli pan, że na pana zagłosują?

– Tak, myślę, że...

– Ale dlaczego? Dlaczego mieliby głosować właśnie na pana? – wtrąca dziennikarz.

– No jeśli chce się wygrywać, to trzeba być gotowym na krytykę, a ja jestem.

– Naprawdę? – przerywa znów dziennikarz.

Mam mokre ręce, ale czym prędzej gaszę radio. Nie chodzi o dziennikarza. Nie chodzi nawet o tego polityka.

Chodzi o to, że rozmowa z politykiem na temat sytuacji jego partii jest OSTATNIĄ rzeczą, której chciałabym słuchać. Nie tylko dlatego, że nie interesuje mnie polityka. Głównie z tego powodu, że polityk w Polsce nie ma właściwie niczego do powiedzenia.

Polityka w dzisiejszych czasach sama w sobie jest tak skonstruowana, że posługuje się wyłącznie manipulacją. Mówi się tylko to, co może podnieść opinię partii albo polityka w oczach „społeczeństwa". To jest niekończąca się gra marketingowych zagrywek. Nic więcej.

Naprawdę nic więcej.

Wybory wygrywa ten, kto ma najlepszą reklamę.

A nie ten, kto potrafi zrobić coś mądrego i słusznego.

Wszyscy o tym wiedzą, nikt o tym głośno nie mówi.

Nie przeszkadza mi to, że jakieś dwie drużyny grają swój marketingowy mecz na boisku.

Ja na pewno nie będę ich kibicem.

Najbardziej smutne jednak jest to, że radio, telewizja i prasa zamieniły się w głośniki ustawione na tym stadionie.

W pewien sposób zmuszają nas do kibicowania.

A ja nie chcę.

Dlatego przestałam oglądać telewizję. Nie czytam gazet. Naprawdę ważne informacje same mnie znajdą.

Czasem słucham radia.

Fragment piosenki. Reklamy. Telewizor led za tysiąc złotych, tylko teraz na wyprzedaży. Suplementy diety na odchudzanie i na hemoroidy. A potem następny polityk.

Przełączam się na inną stację. Plastikowa piosenka. Jingel. Prowadzący z uśmiechem zapowiada następne dwa przeboje. Plastikowa piosenka. Wytrzymuję dziesięć sekund. Przełączam się na inną stację. Polityka. Na inną stację. Polityka. Inną stację. Wiadomości. Oczywiście o tym kto kogo zaatakował, gdzie wydarzyła się tragedia, kogo nie zdążyli uratować i o tym, że będzie źle. Przełączam. Nareszcie. Muzyka. Fragment ciekawej rozmowy dwóch pasjonatów na wspólny temat. A potem znowu krzyczy gość sprzedający telewizory, syrena karetki pogotowia reklamuje suplementy diety, a kobietom po trzydziestce wmawia się, że muszą łykać pigułki na puchnące nogi. Zamiast powiedzieć im, że powinny nosić bardziej wygodne, zdrowe buty.

Gaszę radio.

Czuję się zmęczona.

Właściwie już nie chodzi o radio, telewizję i gazety, tylko w ogóle. Jakoś o wszystko. Odechciało mi się gotowania i jedzenia. Odechciało mi się generalnie wszystkiego.

Westchnęłam.

Marchewka patrzyła na mnie z nadzieją.

Jaka przyjemna była ta cisza, która zapadła po agresywnie brzmiących reklamach i kłócących się politykach.

Westchnęłam jeszcze raz.

Marchewka, brokuł, kasza. Liść laurowy, ziele angielskie, pieprz. Ale zaraz. Ja tu chyba gdzieś miałam płytę Stinga.

Wycieram ręce. Znajduję płytę. Wkładam ją do odtwarzacza.

O Boże, jak dobrze!!!

Kuchnia tonie w miłych, przyjaznych, łagodnych dźwiękach. Sting śpiewa z prawdziwymi, uczciwymi, szczerymi emocjami. To słychać tak samo mocno, jak wcześniej ze słów polityków wypływał ukryty chaos, żądza władzy i strach przed utratą swojej pozycji.

To one zalewały moją kuchnię powodzią niewidzialnej trucizny, która sączyła się do moich myśli i odbierała mi chęć życia.

A teraz dociera do mnie jasna, czysta radość, dobro i skupienie się na tworzeniu muzyki.

I to całkowicie odmienia mój dzień.

Wraca poczucie sensu. Dobry nastrój. Pozytywne nastawienie. Do mnie samej, do obiadu, do rzeczywistości, do tego, co mam do zrobienia.

Niby niewielka rzecz, ale czyni OGROMNĄ różnicę.

I to właśnie chciałam ci powiedzieć.

Ty sam – ty sama – codziennie podejmujesz dziesiątki drobnych i pozornie niewiele znaczących decyzji, które mają wielki wpływ na wszystko, co czujesz, robisz i z w jakim nastroju budzisz się następnego dnia.

Naprawdę.

Zrób taki prosty eksperyment.

Zamiast kłócących się polityków włącz swoją ulubioną muzykę.

I zwróć uwagę na to jak zmienia się twoje samopoczucie.

Jak nagle znika ciężar, który dziwnie przygniatał cię do ziemi.

Naprawdę.

Spróbuj wyłączyć telewizor, z którego płyną agresywne, krzyczące reklamy, strzelanina albo okrzyki strachu. Zamiast tego włącz płytę z odgłosami natury.

Nie masz takiej płyty? Na kanale YouTube znajdziesz dziesiątki takich nagrań. Spróbuj wpisać do wyszukiwarki „dźwięki natury". Znajdziesz rzekę, świerszcze, las, ptaki, wieczorne kumkanie żab nad stawem.

Jasne, że byłoby lepiej pojechać od razu do lasu, ale mam teraz na myśli takie sytuacje, kiedy musisz być w domu – choćby po to, żeby ugotować obiad albo zająć się sprzątaniem.

Spróbuj zrobić to w takiej atmosferze, która będzie przyjazna, dobra, ciepła.

Ty sama musisz o to zadbać.
Odkryjesz zdumiewającą rzecz.

Twój nastrój, twoje nastawienie do siebie i do świata zmienia się w zależności od tego co oglądasz i czego słuchasz.

I to jest kolejny największy skarb naszej cywilizacji:

MASZ WYBÓR.
Masz wolność decydowania o tym co cię otacza.

Wybieraj świadomie to, co jest dla ciebie dobre. To, co napełnia cię poczuciem spokoju i równowagi. Nastraja pozytywnie, przynosi ulgę i sprawia, że masz ochotę się uśmiechać.

I w ten sposób zmieniasz swój świat.

Takimi drobiazgami tworzysz dla siebie zupełnie nową rzeczywistość. Taką, która wspiera cię w twoich marzeniach i planach, i daje ci siłę, żeby je zrealizować.

Od Autorki:

Lubię przecinki. Daję im artystyczną wolność, nieskrępowaną schematem. Przecinek mówi czasem więcej niż słowo, zatrzymuje myśl, oddziela znaczenia, a czasem nadaje im nowy sens. Także wtedy kiedy znika.

I dlatego przecinki w tej książce są postawione i zniknięte zgodnie z artystyczną wolnością, wbrew zaleceniom korekty i na moją odpowiedzialność.

Wydanie I

Dział handlowy: tel. (48 22) 360 38 38, fax (48 22) 360 38 49
Sprzedaż wysyłkowa: Dział Obsługi Klienta, tel. (48 22) 360 37 77

Tekst i rysunki: Beata Pawlikowska
Projekt okładki: Beata Pawlikowska i Maciej Szymanowicz
Opracowanie graficzne: Beata Pawlikowska i Maciej Szymanowicz
Zdjęcie na okładce: Mariusz Martyniak/Matys Studio
DTP: Maciej Szymanowicz
Druk: Białostockie Zakłady Graficzne S.A.

ISBN: 978-83-7778-918-6